国际和平城市
丛书
International Cities
of Peace

国家出版基金项目
江苏省"十四五"重点图书出版规划项目
侵华日军南京大屠杀遇难同胞纪念馆资助项目

王晓阳
陆德婷　著

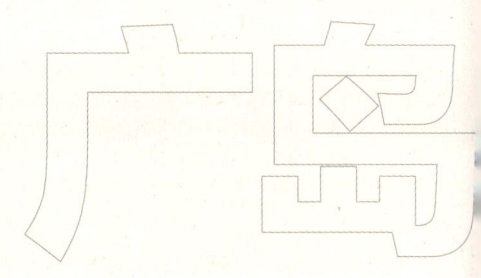

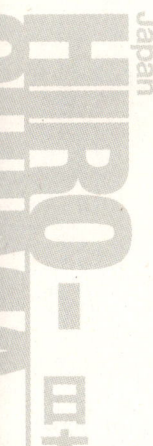

国 际 和 平 城 市 丛 书

主　编　刘　成
副主编　凌　曦　时鹏程

图书在版编目（CIP）数据

日本·广岛 / 王晓阳,陆德婷著. — 南京：南京师范大学出版社,2022.10
（国际和平城市丛书/刘成主编）
ISBN 978-7-5651-5489-8

Ⅰ.①日… Ⅱ.①王… ②陆… Ⅲ.①广岛—概况 Ⅳ.①K931.3

中国版本图书馆CIP数据核字（2022）第198214号

丛 书 名	国际和平城市丛书
丛书主编	刘　成
丛书副主编	凌　曦　时鹏程
书　名	日 本 · 广 岛
著　者	王晓阳　陆德婷
策划编辑	徐　蕾　郑海燕
责任编辑	向　磊
书籍设计	瀚清堂
出版发行	南京师范大学出版社
地　址	江苏省南京市玄武区后宰门西村9号（邮编：210016）
电　话	(025)83598712（编辑部）83598919（总编办）83598412（营销部）
网　址	http://press.njnu.edu.cn
电子信箱	nspzbb@njnu.edu.cn
照　排	南京私书坊文化传播有限公司
印　刷	上海雅昌艺术印刷有限公司
开　本	889毫米×1194毫米　1/32
印　张	6.875
版　次	2022年10月第1版　2022年10月第1次印刷
书　号	ISBN 978-7-5651-5489-8
定　价	50.00元
出 版 人	张志刚

* 南京师大版图书若有印装问题请与销售商调换
* 版权所有　侵犯必究

总　序

《国际和平城市丛书》第1辑包括五座城市，它们有个共同点：在历史上都历经了沉重的战争创伤，形成了几代人的集体记忆。我们必须将这样的历史铭记于心。只有深刻记住曾经的苦难并以此为镜，才能避免历史悲剧的重演。我们对创伤的记忆与认知非常重要，记忆方式会影响记忆内容的真实性和持久性。历史证明，创建和平是对苦难历史最好的记忆和修复。当一座城市的创伤记忆升华为人类共同的记忆，我们对过去灾难的认知就可以超越陈规定型的政治记忆。唯此，痛苦的历史才能与未来的和平相连，才能促成昔日敌对双方的和解，从而为创建人类命运共同体增添希望。历史表明，和解不仅意味着双方交换对历史的看法和经验，也呈现了双方共同创造面向未来的新观念和分享新经验的过程。从这个角度看，和解是一种满足彼此需求的思想和力量。创建和平，基于战争遗产打造和平城市，可以弘扬这种思想和力量。这是我们编写这套丛书的初衷与缘由。

丛书遴选的五座城市都在积极创造与构建和平文化。南京是中国第一座国际和平城市，创建了聚焦积极和平的国际和平论坛；德累斯顿对德国战争经历的反思加强了国内与国际和解；广岛带动了日本民间的反核和平运动；华沙致力于促进和解对话，形成了波兰内外共同的历史记忆；考文垂是英国和解城市的标杆。与此同时，战争记忆研究正在发生三个维度的变化：从英雄记忆转向创伤记忆；从战胜国记忆转向创伤国记忆；从国家的历史记忆转向多国共享的历史记忆。我们相信，随着越来越多的城市迈向和平城市之路，进而形成全球和平城市网络，和平的记忆终将超越战争的记忆。

这五座和平之城的建设过程各有特色，每座城市的实践都证明了一个真理：和平是通向和平的唯一道路。和平城市有着共同的宗旨，都在推广联合国教科文组织倡导的和平文化：致力于通过预防、调解和冲突转化来建设和平，提供关于非暴力、宽容、接纳、尊重与可持续发展的和平教育，促进不同文化之间的对话与和解。建设和平之城，需要世界各国与地区的政府、学校、社会团体、非政府组织和公民的共同努力。成为和平之城，需要融合历史、记忆和传承中的和平元素。想要实现这一目标，我们可以通过多种途径：预防冲突，维护和平，建设和平，和平研究，和平教育，以及所有能够促进城市进步与繁荣、世界和平与发展的和平活动。

和平学是这套丛书的学科基础。南京大学拥有中国唯一的联合国教科文组织和平学教席,是国内外公认的中国和平学的中心。中国和平学的发展得到了全球众多机构和个人的鼎力相助,没有他们的支持,和平学不可能在中国发展起来,也就不可能有这套丛书的问世。这套丛书的编写历时十年,一路走来历经曲折,困难重重。所有作者、译者和编辑都付出了最大努力,克服了种种障碍,呕心沥血地打造出这套集真实性、学术性、创新性和可读性于一体的作品,以飨读者。

这套丛书是理解文化创伤和历史记忆影响的一次有益尝试。对其中的不足与疏漏之处,我们诚挚欢迎读者们给予批评和指正。

刘 成
南京大学历史学院教授
联合国教科文组织和平学教席主持人
2022 年 8 月

目 录　　　　　　　　　　　　　　　　　Contents

001
总序

006
前言

008
第一章　始于"依水之城"

一　地理风貌　　012
二　历史发展　　025
三　社会状况　　027

034
第二章　落入"灰烬之城"

一　向军都转型　　038
二　原子弹爆炸　　058
三　爆炸之余烬　　074

080
第三章　民间"和平之声"

一　反战运动　　084
二　反核武器运动　　089
三　和平运动　　099

第四章　创建"和平之城" …… 122

一　和平之法　130
二　和平建筑　135
三　和平仪式　162

第五章　重新审视广岛 …… 168

一　和平教育与和平研究　172
二　并不和平的"和平主义"　184
三　从消极和平到积极和平　198

结语　205

主要参考文献　207

后记（一）　210
后记（二）

前 言

纵观历史,广岛的身份一直在转变。作为一座"依水之城",广岛地理位置优越,居民生活富足。但明治时期(1868—1912年),在日本军国主义狂潮席卷之下,广岛成为一座名副其实的军事之都,其军事地位随着日本侵略进程的推进而日益凸显,直至自食恶果,于1945年8月6日遭到美国投掷的原子弹袭击。刹那间,原子弹的巨大破坏力令这座昔日的繁华之都沦为灰烬之城。据时人估计,这片土地将在未来的75年寸草不生。

战争是可怕的,但生命是美好的;战争带来死亡,但废墟上残存的生命却带来了和平的曙光。原爆第二年,广岛的部分花木竟奇迹般地重现生机,给广岛的居民带来了无限的希望与勇气,帮助他们熬过原爆后漫长的苦痛期。相较于广岛市政府在全世界为消除核武器的呼吁,民众对和平的渴望与诉求才是广岛重建为国际和平城市进程中的主要动力。

本书重现了广岛原爆前的历史面貌,梳理了战后广岛的城市重建进程,并从和平学视角重新审视广岛构建和平城市的历程,并建议广岛乃至日本应像其致力于废除核武器那样积极寻求与亚洲邻国之间的和解之途。

第一章

始于"依水之城"

地理风貌

广岛（日文：広島；日文片假名：ヒロシマ；英文：Hiroshima），是日本本州岛西部的滨海之城，为广岛县的首府及政治、经济、文化中心，也是广岛县域内规模最大的城市。

作为一个岛国，日本由数千个岛屿构成，其中北海道、本州、九州、四国和冲绳是主要岛屿。广岛县位于日本列岛的西南部，自然景观优美，山脉、海洋、河流、平原和盆地等多种地貌造就了这片富饶之地：北边，中国山地形成一道天然屏障，挡住了来自日本海的凛冽寒风，使这里四季气候温和；南边，濑户内海得天独厚，大小岛屿星罗棋布，点缀出一幅别具风情的海景图[图1-1]。天然优越的地理条件，使广岛成为发展航运业、造船业等重工业与渔业的理想之地。

濑户内海岛屿云集，这些大小不一的岛屿有着各不相同的历史、文化和工业背景，其中最著名的是严岛（又名宫岛），自古便被誉为"日本三景"之一，岛上坐落着历史悠久的严岛神社，闻名遐迩。严岛神社始建于6世纪，是世界上唯一一座有着鸟居(日式牌楼)和神殿的海上神社[图1-2、图1-3]。严岛神社因地理位置独特、景致秀丽，1996年被列入联合国教科文组织《世界遗产名录》。

图 1-1 远眺广岛,近海岛屿星罗棋布

图 1-2 芸州严岛,1852—1858 年(歌川广重)

图1-3 涨潮时的严岛神社鸟居

图1-4 广岛县徽:该圆形图案取自广岛(ヒロシマ,Hiroshima)日文片假名首字母的"ヒ"(Hi),象征广岛生活的和谐

严岛的日语含义为"献给神的岛"。严岛是一个纯粹的神道教圣地，为确保其纯洁，历史上有很长一段时间，平民被禁止踏足此地。汉字"严"，意为在参拜神祇前沐浴净身，确保身心的洁净，这是神道教的主旨之一。神道教，简称"神道"，起源于日本，通常被看作对神的信仰。鸟居是神道教的标志性建筑，具有特殊意义，将其建在水中，与陆地分隔，更凸显了其神圣性。神道教的教义认为，神（kami）与人并无区别，因此人可化为神。明治时期，遍布日本的神社将神道教与日本人民的生活紧密相连，政府也鼓励民众将天皇作为神灵来崇拜。严岛神社是神道教神社之一，经历多次翻新修缮，象征着对天皇的绝对忠诚。借用这一象征意义，两艘在对外侵略战争中发挥过关键作用的日本军舰均以此岛命名：参加中日甲午战争（1894—1895年，第一次中日战争）的巡洋舰"严岛号"和参加日本侵华战争（1931—1945年，第二次中日战争）的布雷舰"严岛号"。

濑户内海的其他岛屿，如仓桥岛（原名长门岛），造船业发达，起源于建造遣唐使的大船，江户时代（1603—1868年）中期达到鼎盛；上蒲刈岛，自江户时期以来便是海运中心；大崎上岛，水果种植业发达，盛产蓝莓、柠檬、蜜柑等；走岛和阿多田岛，渔业发达。丰富而多元的经济，使得广岛一派繁荣，百姓安居乐业，正如其县徽象征的那般"和平"[图1-4]。

作为广岛县首府和最大城市的广岛市，地处太田河与濑户内海交汇的三角洲上，濒海依山，自然资源丰富，风景优美，气候宜人，地势平坦。六条河流川流而过，将市中心分割为六爿小岛，犹如六指嵌入濑户内海之中[图1-5]，广岛因此而得名"依水之城"。

图 1-5　美军从空中拍摄的广岛，可清晰看到流经广岛市市区的六条河流，1945 年 4 月

图1-6 三泷寺（多宝塔）旁的红叶

这些河流发源于中国山地的沃野，蜿蜒流淌穿过城市，为广岛灌溉出无限生机。春日，河岸边花团锦簇，景色宜人；秋日，红色的枫叶遍布全市，犹如烈焰般绚烂夺目[图1-6]。红叶一直是广岛的标志，常与严岛之鹿一起成为传统绘画与版画的描绘主题，就连广岛最有名的特产——日式甜点红叶馒头，都源自这红叶[图1-7]。依山傍海的广岛既是各种鸟儿驻足与栖息的天堂，也盛产牡蛎，其牡蛎养殖业已有四百多年历史。

图 1-7 广岛特产红叶馒头

这座坐拥六条河流的"依水之城"桥梁众多,这些桥梁不仅使城市水陆交通便捷通达,还促进了其经济发展。早在毛利辉元进驻广岛城之时,桥梁的建设就拉开了序幕,著名的猿猴桥[图 1-8]、元安桥[图 1-9]与本川桥[图 1-10]等木结构桥梁均建于这一时期。而初建于明治时期的相生桥[图 1-11]也十分重要,它不仅是元安桥与本川桥的连接点,也是通往最繁荣的中岛区的交通要道。大正时期(1912—1926年)后,考虑到木结构桥梁的抗灾能力较弱,大部分木质桥梁被改造为钢筋混凝土结构桥梁,不过仍有部分木桥留存至今,依然发挥着功用。

图1-8 大正时期的猿猴桥

图1-9 大正时期的元安桥

图 1-10 大正时期的本川桥

图 1-11 大正时期的相生桥

图 1-12　大正时期,从二叶山俯瞰的广岛市街景

城外重峦叠嶂,城内绿树成荫,公园、花园、寺庙和神社掩映其间,随着城市的发展,民众的生活愈发安宁富足[图1-12、图1-13]。城中的缩景园尤为著名,传说它颇有杭州西湖的几分神韵[图1-14]。缩景园是浅野长晟在江户时期建造的别墅花园,位于广岛市中心,靠近广岛城。缩景园的湖中常有鲤鱼嬉戏,广岛城因此而得名"鲤鱼城"。1913年后,这些公园对公众开放。此外,那些滨海公园,如中岛公园(昭和时期即1926—1989年间关闭)[图1-15],也有供人们闲暇时休憩的沙滩。

图1-13 大正时期,广岛市民在长寿园赏樱

图1-14 大正时期浅野的别墅花园,即今缩景园

图1-15 大正时期的中岛公园

二

历史发展

史前时代，今天的广岛大部分地区还在濑户内海的海底沉睡，直到绳文时期，这里才开始出现人类的活动。6 世纪末至 7 世纪初，这片地区逐渐成为西边的九州和近畿（今关西地区）之间的桥梁，众多商贸路线穿过山区和沿海。那时，广岛的东部被称为备州，西部被称为芸州。

日本战国时期（1467—1573 年），毛利家族统治着芸州、备州及如今中国地方（日本本州岛西部区域）的其他区域。至 16 世纪后期，为便于管辖辽阔的疆域，藩主毛利辉元决定建造一座城堡。太田河汇入濑户内海，其冲积形成的三角洲位置得天独厚，毛利辉元决定将城堡建于此处[图1-16]。三角洲被一分为五，因此得名五箇村。1591 年完工后，毛利辉元将这个地区重新命名为广岛——"广"是为祭奠祖先大江广元，而"岛"则是代表了帮助毛利辉元选址的福岛元长。在日语中，"广岛"亦有"宽阔的岛"之意，恰如其分地彰显了这一三角洲中心岛屿的地貌。

在担任广岛城领主 10 年后，毛利辉元在 1600 年的关原之战中战败，被迫放弃了广岛。战后，德川幕府获得了对这片土地的控制权，将广岛城赠予其盟友福岛正则。福岛正则统治了广岛 20 年，后因得罪了德川被发配至长野的边远地区。于是，广岛又迎来了新主人浅野长晟，他的家族此后在此执政十几代。在浅野家族几个世纪的治理下，广

图1-16 大正时期的广岛城

岛发展为熙熙攘攘的大都市,成为日本中国地方的渔业、商业和艺术中心。

明治维新时,日本对地方直辖市的管理体制进行了改革,废藩置县。芸州被废除,广岛地区也随之划归为广岛县,内部细分为四个小区。随着1888年新直辖制的建立,广岛于1889年正式建市。大正时期之后,当地经济从农业化逐步向城市工业化转型,促进了城市的不断发展壮大。最终,广岛市成为日本的经济与文化重镇。

三

社会状况

由于得天独厚的地理条件，自建城以来，广岛当地的居民一直不愁生计。五箇村时期，广岛还是几个小渔村。毛利家族给广岛带来了翻天覆地的变化，村落变成了热闹富庶的小镇。家仆、商人和工匠纷纷在此安顿，各种桥梁与道路铺砌成型，所辖河流成为联结小镇与濑户内海的水运通道。平田屋与西堂两条运河也开凿完成，分别延伸至东部与西部的港口。广岛成为商贾汇聚之地，市场林立，货品丰富，各种蔬菜、水果琳琅满目，从太田河上游运来的草席、榻榻米床垫和竹篮等也在此交易。

福岛统治时期，广岛的经济蒸蒸日上。治安官划分郡治，组建了村町来管理民众，并为每个村指定一名村长。浅野统治时期，通过填平海湾的浅水区与将山坡夷为平地，广岛的住宅区得以大大扩展。此后，城堡城的新城镇和村庄扩大到 35 个以上，新建立的定居点人口超过 4.8 万人，加上原来居住在城市的居住在寺庙和神社的约 2 万名武士和平民，新城镇的总人口接近 7 万人。

作为濑户内海沿岸最大的城镇，广岛引得日本各地的船只纷至沓来，停泊在本川河和元安河上。城镇商业日益兴隆，许多邻近地区的土特产，如沿海地区种植的棉花，太田河流域的黄麻、纸张、竹制品和蔬菜，以及广岛湾的海藻、牡蛎等海产品都被运往广岛附近，在那里集装并分运至京都与大阪。

图1-17　战前昭和时期的本通街

1867年，持续260多年的德川幕府统治终结，权力归还天皇，史称"大政奉还"，标志着日本封建时代的结束。天皇成为实际掌权者，并于1868年改年号为"明治"，日本由此进入明治时期。明治政府为摆脱闭关锁国的落后状况和民族危机，进而称霸东亚，在"富国强兵""殖产兴业""文明开化"三大口号下，将西方技术与日本传统价值观相结合，对日本进行了一系列政治、经济、军事和社会改革，力图实现日本的现代化，史称"明治维新"。在这一时期，广岛的城市化进程迅速发展。污水处理系统得到改善，燃气、电力开始普及，可部线和芸备线铁路相继建成，火车运输逐渐取代了太田河上的航运。有轨电车很快成为市内最主要的交通工具，砖瓦与钢筋混凝土的新建筑相继而起，城市面貌焕然一新[图1-17至图1-19]。

图1-18 战前昭和时期的新天地

图1-19 1938年的纸屋街十字路口

图 1-20 战前昭和时期的广岛县产业奖励馆

广岛最为繁华的地段是中岛区,商业发达,住宅云集。江户时期,这里曾是商业中心,不计其数的货品从海路运来,又经此地通过水陆运输再次销往日本各地。明治时期,中岛区发展为广岛的政治、行政和商业中心。昭和早期,中岛区街道两旁的电影院、餐馆、和服店、杂货店等鳞次栉比。广岛县产业奖励馆也设于此处,展示各地物产,也为各种艺术和教育展览提供场地和设施[图 1-20]。遗憾的是,这些都在原子弹爆炸中毁于一旦。今天的中岛区为广岛和平纪念公园所在地,产业奖励馆即今原爆圆顶馆。

西方文明开化的生活方式在广岛市民中广为流行，从男士发型到饮用牛奶的习惯，从改用公历到跳交际舞，这些新鲜的西方文化给这座城市带来了别样的生机与活力。明治政府意识到，教育是实现富国强兵的重要措施，故下令效仿欧洲学制，进行教育改革，不仅开设了面向公众的义务教育，还鼓励更多学子进入高等教育学校进修。因此，在建造银行和医院的同时，广岛还建立了公立学校和语言学院。当时，广岛高等学校和广岛高等师范学校［图1-21］都位于日本顶尖学府之列，广岛也因此成为全国闻名的教育中心［图1-22］。

图1-21　明治时期的广岛高等师范学校

图 1-22 战前昭和时期的广岛县教育会馆

广岛作为日本第一批获得城市地位的地区之一，随着现代化进程的深入发展，从曾经的渔村脱胎换骨，戏剧性地转变成日本的经济、政治、文化和教育中心。这片丰饶之地养育了世代生活于此的人们，又孕育了西方文化与日本传统文化相结合的文明。但好景不长，日本发动的侵略战争改变了这一切，战争大大刺激了重工业的发展，昔日安宁的依水之城已然变成一座军事之都，其首要任务是为日本帝国提供军事补给，为入侵亚洲的前线部队源源不断地输送血液。

第二章

落入"灰烬之城"

一

向军都转型

从日本近代思想家福泽谕吉 [图 2-1] 提出"脱亚入欧"开始,日本逐步走上军国主义的道路。在"富国强兵"的口号下,明治政府效仿法国和德国的模式,对陆军和海军进行了现代化改革。到明治后期,军国主义在日本国内占据了政治与社会生活的主导地位,国内矛盾日益激化。日本军国主义为转移矛盾,缓解国内紧张局势,走上了对外扩张的道路。日本成为发动法西斯侵略的战争策源地之一,其侵略铁蹄之下,亚洲数千万无辜平民沦为冤魂。

图 2-1 福泽谕吉

自19世纪下半叶以来，日本发动了多场针对朝鲜半岛、中国等东亚邻国及地区的侵略战争。一战（1914—1918年）使帝国主义阵营内部的势力关系发生了巨大变化，也加剧了日本帝国主义的发展危机。日本军部深刻意识到，未来的战争必须以强大的生产力为后盾，需要大量物资与先进技术，而日本正面临着战略物资极度匮乏的困境，于是将目光转向中国，试图通过侵略攫取各种战略资源。为此，日本军部充分利用了在国民中影响深远的天皇制和明治宪法中规定的军队统帅权，建立了由军部主导的法西斯统治。1936年2月，广田弘毅接管内阁，日本确立了军部法西斯体制，加快了侵略步伐。1937年7月7日，日本挑起"卢沟桥事变"，悍然发动全面侵华战争。随后，日本宣称要在亚洲建立一个由日本主宰的"新秩序"，即"大东亚共荣圈"。1941年12月，日军突袭珍珠港，太平洋战争（1941—1945年）爆发。至此，日本发动了东亚近代历史上规模最大的侵略战争，动员了日本所有的军事、经济力量以及人力，号称"总力战"。

战争期间，日本从朝鲜、中国及东南亚等地的日占区掠夺资源、能源、劳动力和军事力量，作为其进一步扩张的基地，由此，日本成为世界反法西斯阵线的主要敌人之一。在侵略战争中，日本公然违反国际法规，实施有组织的细菌战、化学战，虐杀战俘，强迫劳工，对平民实施无差别轰炸，推行臭名昭著的"慰安妇"制度。而在日本发动对外侵略战争期间，广岛成为其最重要的兵工厂和兵营驻屯地，为日本吞并中国、称霸亚洲的侵略行动提供支持，可以说，广岛是当时整个日本的军事大本营。

设施完备的军事重镇

明治时期起,广岛的地位逐渐提升,成为日本的经济、工业和军事中心。因其优越的地理位置,日本政府在广岛修建了大量军事设施。1871年左右,日本西部的第一支独立镇台(陆军军团)就设在广岛城。两年后,第五军管区广岛镇台建立,管辖广岛及其他九县。1886年,广岛镇台更名为第五师团。中日甲午战争爆发后,第五师团最先被派往前线。日俄战争(1904—1905年)时期,广岛城内外相继修建了新的军事设施,进一步巩固了其军都的地位。

广岛周边的城市规划与军事设施呈掎角之势。1889年完工的商业码头——宇品港(今广岛港),为广岛的繁荣提供了坚实保障,使广岛成为重要的港口城市[图2-2]。1894年7月25日,中日甲午战争爆发,为提高军事运输效率,一条从广岛站至宇品港的新铁路干线以惊人的速度在短短16天内建成,广岛迅速成为向中国战场派遣军队和运输物资的主要交通枢纽。1903年,军用吴线铁路开通,可从吴港直达广岛,进一步巩固了广岛在日俄战争中作为主要军事基地的地位。

图 2-2 明治时期的宇品港

　　明治政府上台后推行"废藩置县"政策，1873 年颁布了"废城令"，数千座城堡要么被拆除，要么被废弃，但广岛城却保留了下来，并被改造成军事堡垒。

　　中日甲午战争不仅给广岛带来了陆海交通设施的改善，也加强了广岛城的政治意义。1894 年 9 月 15 日，日本政府临时迁往广岛，明治天皇在此坐镇指挥直到 1895 年 4 月 27 日 [图 2-3]。此后，明治天皇在广岛城保留了其军事大本营 [图 2-4]。1895 年 2 月 1 日至 2 月 4 日，中日两国代表为结束战争而举行的第一轮会谈也在广岛举行。

图 2-3 明治天皇抵达广岛

图 2-4 战前昭和时期的广岛大本营

在广岛作为临时首都期间,这座城市繁荣而忙碌,政府要员频繁往返,新兵赶赴前线,伤员退役归来,来自日本各地的商人纷至沓来。一战后,日本国内经济持续衰退,军部不顾民怨沸腾,转而在亚洲大陆大肆侵略扩张。从1931年"九一八"事变开始,日本发动了侵华战争,并在1937年升级为全面侵华战争。驻扎在广岛的第五师团从宇品港出发,作为先遣部队前往中国战场。

随着战事的推进,军用物资的需求剧增,进一步刺激了广岛重工业的发展。1938年,《国家总动员法》颁布,规定军用物资的生产须摆在首位。因此,广岛的军事设施大举扩建,造船(包括三菱造船)和冶金等军工业得以迅猛发展。

举足轻重的海军基地

隶属广岛县的吴市是日本重要的船舶制造中心,距广岛市约20公里,拥有日本第二古老的海军船坞,至今仍是日本海上自卫队(JMSDF)的重要基地。得益于濑户内海这道天然屏障,吴市在控制日本西部的海域航道方面具有重要的战略意义。1889年日本海军行政改组时,在此设立了吴镇守府(简称"吴镇"),并指定其为第二海军军管区,负责日本西部的防务。二战(1931—1945年)结束前,吴市一直是日本最大的海军基地和军火库,其大部分劳动力都受雇于海军设施厂、军火厂等相关军备企业。

1920年,日本海军的主要潜艇基地和潜艇作战训练学校在吴市成立。1932年,日本空军联队在此成立。1937年,电讯中心在此成立。1941年日本突袭珍珠港时,吴镇发挥了重要作用,因此在战争接近尾声时吴市遭到了美军的猛烈轰炸。1945年6月和7月,美军对吴市的轰炸达到高潮,当地许多设施几乎被摧毁殆尽。

二战后,吴市被澳大利亚和英国的军队占领,基本实现了当地的非军事化,但仍有一小部分军事设施掌握在日本自卫队手中。2005年4月23日开馆的大和博物馆(吴市海事历史科学馆)就坐落在当年战舰完工的位置,馆中展出了二战时日本联合舰队的旗舰"大和"号战列舰的模型,这艘战舰于1945年在日本九州岛以南沉没 [图2-5]。

图 2-5　日本帝国海军"大和"号战列舰在宿毛湾进行全功率试验，1941 年 10 月 30 日

图 2-6　日本海上自卫队海军预备军官学校，前身为日本帝国海军学院，建于 1893 年

吴市附近的江田岛现在是日本海上自卫队的基地，日本帝国海军学院也坐落于此 [图 2-6]。1888 年，该校迁至江田岛，其毕业生要经过严苛的身体、精神和军事技能训练。例如，体能训练的内容之一是练习从江田岛到严岛的长距离游泳并攀登严岛上的弥山。严岛是一个供奉神灵的圣岛，自明治时期以来，天皇被奉为神道在人间的化身，日本帝国海军学院在严岛训练的目的正是培养毕业生对天皇的绝对忠诚。该校培养了许多日本海军历史上有名的军官，其中就有二战中臭名昭著的山本五十六、长谷川清、井上成美等，该校于 1945 年被盟军关闭。

战后，江田岛上建立了海军历史博物馆，展示了日本海军从19世纪末到1945年所取得的"辉煌成就"。博物馆内设两个展厅，展品是与海军特攻队相关的飞机、小型潜艇和载人鱼雷。第一个展厅为日本海军特攻队特展，展厅墙挂着的铜牌上刻着2633名"神风特攻队"和回天载人鱼雷队员的姓名，所谓的"神风特攻队"由在自杀式袭击中驾驶飞机、特工艇和鱼雷的年轻人组成［图2-7］。第二个展厅陈列了"神风特攻队"领导人信息及飞行队队员的150封遗书。在博物馆的展陈中，所有关于"神风特攻队"的描述都是"赞誉"，全然不见对侵略战争的反省和批判。"神风特攻队"是日本军国主义穷途末路下的疯狂之举，年轻而狂热的特攻队队员深受军国主义和帝国主义的蛊惑，沦为日本侵略暴行中的战争机器。

图2-7 鹿儿岛上，下士荒木由纪夫抱着一只小狗，与第72新武中队的其他4名"神风特攻队"飞行员合影。荒木于第二天在冲绳附近发动自杀式袭击，年仅17岁，1945年5月26日

图 2-8　从黑泷山拍摄的大久野岛，2010 年 4 月

鲜为人知的毒气工厂

大久野岛是一个小岛,位于广岛县竹原市的忠海港南岸三公里处[图2-8]。该岛被安静的濑户内海所包围,四季如春。今天,它是一个颇受欢迎的度假胜地,网球场、自行车道、棕榈树和一家四层楼酒店错落其间。由于这里有许多野兔出没,大久野岛也被称为"兔岛"。

鲜为人知的是,这个今天的度假胜地在战时却是秘密的毒气工厂所在地,而且一度在地图上销声匿迹。从19世纪90年代开始,为了抵御外敌,岛上建起了堡垒和大炮等军事设施。由于化学武器在一战期间发挥了惊人的威力,1918年,日本启动了一项秘密计划,成立了临时的毒气委员会专门研制化学武器。1927年,考虑到大久野岛四面临海,对其他地区影响较小,如果发生毒气泄漏也便于控制,日本决定在此建造一座毒气工厂。

该工厂由陆军直接承建,于1929年5月19日以东京第二陆军兵工厂忠海兵器制造所之名全面竣工[图2-9]。1938年至1940年期间,该厂迅速扩大,雇用了约6000名工人[图2-10]。当时,岛上的兔子也被用于化学武器的实验,以测试毒气的效用。直至二战结束,这座岛屿都是日本唯一的大规模毒气生产地,它共生产了约6600吨各种类型的毒气,包括窒息毒气、喷嚏型毒气、催泪毒气和芥子气等[图2-11],其中大部分战争伊始就被投放到中国战场。

图 2-9 大久野岛的锅炉厂，1946 年 10 月 3 日

图 2-10 大久野岛上毒气工厂的工人，1946 年 8 月 30 日

图 2-11 大久野岛上装满芥子气的毒气罐，1946 年 8 月 3 日

1937—1945年，日本一直在中国战场上使用化学武器，根据毒气兵的手册可见，日本军队于1937年使用毒气9次，1938年185次，1939年465次，1940年259次，1941年48次。日本使用化学武器的信息及相关证据被提交至国际联盟，然而直到1984年，日本都对此矢口否认。1990年，中国开始就此事向日本进行交涉。1997年，《禁止化学武器公约》生效，国际社会敦促日本承担起全部责任，销毁遗弃在中国境内的所有化学武器。1999年，中日两国政府签署《中华人民共和国政府和日本国政府关于销毁中国境内日本遗弃化学武器的备忘录》，成为中日双边解决日本遗留化学武器问题的最直接法理依据，挖掘和回收日本在中国境内遗弃化学武器的工作于2000年方得以展开。根据《禁止化学武器公约》，日本作为遗弃国有义务在公约生效后15年（即2012年）内完成销毁遗留在中国领土上的所有化学武器。然而，由于挖掘和回收过程中存在各种不确定性和困难，销毁计划一再推迟。2012年2月，中日两国政府达成了新的共识，日本将于2027年底前完成全部销毁工作。至今，这项工作仍在继续。

日本是1925年《日内瓦议定书》的缔约国之一，该协议虽禁止在战争中使用生化武器，但并未禁止化学武器的生产和持有。日本政府采取了诸多措施，不遗余力地保守岛上化学兵工厂的秘密。岛上的大多数居民对这座工厂的真实情况一无所知，因为所有事项都严格保密。这座岛屿甚至在1938年的日本地图上被隐藏，直至1947年才再次正式在地图上被标识。二战后，美国军队接管大久野岛，监督销毁了毒气生产设施。这座工厂后被秘密烧毁，遗留的毒气大部分以倾倒入海的方式在附近海岸处理完毕，部分被掩埋在岛上曾经的防空洞内，还有部分则在海上被焚烧处理。

据记载，参与这一秘密项目的人数超过6500人，包括工厂工人、办公室工作人员、妇女志愿团、被动员的学生和妇女协会等，所有人都被要求保密。然而由于工作环境极其恶劣，许多工人因接触毒气而罹患各种疾病。几十年后，曾经在毒气工厂工作的受害工人成立了毒气工人协会，要求日本政府赔偿其在战时因生产毒气所受的伤害。每年秋天，毒气受害者及其家属都会聚集在此岛举行纪念仪式。

1988年，岛上的毒气博物馆开馆，陈列了当时工人的衣物、记事本和毒气生产设备，在展示该岛可怕历史的同时，该馆也被认为是一个有助于思考和平的教育场所[图2-12、图2-13]。遗憾的是，该馆重点展示了曾经在毒气工厂工作的工人的受害情况，但对日本化学武器的中国受害者的痛苦鲜有提及。

图2-12　大久野岛上的毒气博物馆

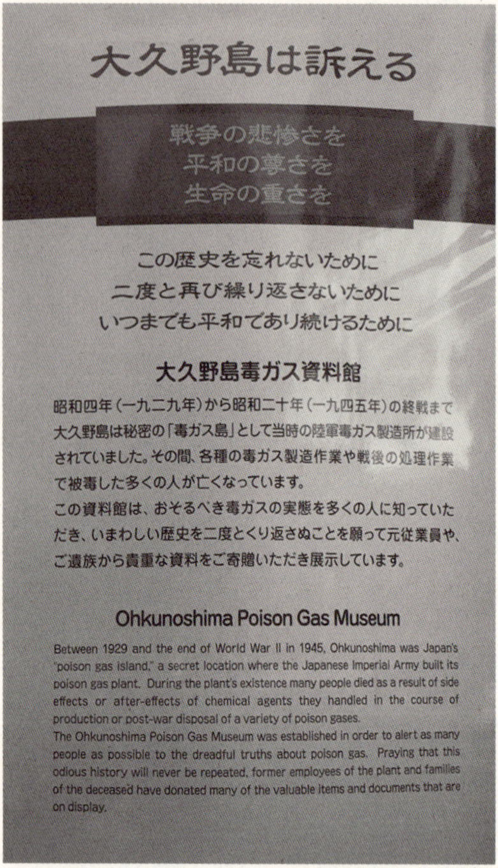

图 2-13 毒气博物馆的介绍

除了毒气博物馆，岛上还保存着其他日本军事遗址，如三组明治时期保存完好的炮台，一家只剩外壳的发电厂，曾经架设探照灯的废墟，以及岛上随处可见的毒气仓库等。这些遗址勾勒出一幅清晰的图画，展示了广岛在战争期间作为军都的地位。

战时的平民动员

日本发动全面侵华战争后,1937年8月21日,日本内阁通过了《国民精神总动员计划实施纲要》,要求"增强举国一致、尽忠报国的精神,无论事态如何发展、战争如何长期,都要靠坚忍持久克服困难,达成所期之目的。希望增强国民的决心,为此,实行彻底的国民实践",开始了地区性的"国民精神总动员"运动,加大了国内动员的力度。9月13日,日本内阁发布《国民精神总动员计划实施纲要》。10月,在内阁的组织下,半官半民性质的国民精神总动员中央联盟成立,该联盟在全国的道、府、县成立相应的组织,各级行政长官兼任会长,自上而下地开展"尽忠报国"运动。

1938年4月1日,《国家总动员法》出台,宣布将国民经济纳入战时体制。它规定了政府对民间组织的控制,将战略工业国有化,控制物资价格和定量配给,以及管控新闻媒体。作为补充,政府还颁布了《国民征用令》,该条例授予政府征召民工的权力,以确保战略性军工业有足够的劳动力供应。该法颁布后,政府开展了全国性的"国民精神总动员运动",以"强化后方国民对战争的持续支援",使整个国家团结起来,投身全面侵华战争[图2-14]。因而,先前存在的民间组织都并入中央联盟,在总动员运动中发挥主导作用。

图 2-14 广岛和平纪念资料馆内展示的"全民动员捐献金属以支持战争"海报

当然，广岛市民也不例外。在广岛被轰炸的当天，约有4.3万名士兵驻扎于此，包括本地"乡土部队"。第五师团在广岛建立了广岛镇台，它以广岛城命名，因其又称鲤鱼城，故该师团代号为"鲤鱼师团"。在第五师团麾下，从广岛本地征召的士兵组成了第11步兵团，其"战绩"包括中日甲午战争、八国联军侵华战争（1900—1901年）和日俄战争。在日本侵华战争期间，该师在北京、山西、山东、江苏等中国的土地上犯下了累累罪行。

在男子被动员服兵役的同时，妇女也被一些妇女团体如爱国妇女协会组织起来，为战死者的遗属提供救济，以盛大仪式迎送士兵，并为赶赴前线的士兵准备救济包。此外，许多广岛的妇女被征召至军工企业工作，如负责军服供应的陆军服装厂、生产化学武器的毒气工厂等。随着日本战争形势的恶化，许多初中和女子高中的学生也被动员起来，投入城市里的房屋拆除工作，以搭建防火工事，保护军事设施免受空袭。

数量庞大的军事设施、环绕的海军基地和毒气岛组成了一台以广岛市为中心、多个军事重镇联动的战争机器，确立了广岛的军都地位。突袭珍珠港后，日本在宇品港设立了海军陆战队总部，并在海岸线上布置兵力，卫戍广岛。广岛市的防空设施迅速得到加强，明显优于其他城市。在军事形势每况愈下之时，第二总司令部驻扎广岛，指挥整个日本南部的防务，中央政府委任的最高行政机构也迁往广岛。最终，广岛成为军队集结之地。

二

原子弹爆炸

拒不投降的日本

1941年12月7日,在周密部署后,日本对夏威夷的美国海军基地珍珠港发动突袭,并在以此为开端的太平洋战争中初战告捷。1942年5月,日本占领了菲律宾、马来亚、新加坡、荷属东印度群岛(今印度尼西亚)和太平洋上的其他一些岛屿,加上已占领的朝鲜等地,统治着大约5亿人口和700万平方公里的土地。接二连三的捷报让日本国内民众兴奋不已,但随着战事进入僵持阶段,形势对日本越来越不利。1942年6月的中途岛战役中,美军重创日本海军,迎来太平洋战争的军事转折点,日军开始节节败退。1943年,日军在瓜达尔卡纳尔岛战役中失利并随后撤退,由此转入战略防御阶段,而反法西斯盟军则逐渐夺取了太平洋战场的军事主动权。

1943年12月1日,中国、美国和英国联合发布了《开罗宣言》。三个盟国同意在未来针对日本进行军事合作,直至其无条件投降,并宣布日本自1914年以来通过一系列侵略战争所攫取的中国领土,如东北、澎湖列岛、台湾等须归还中国。自此,盟国对日本的海、陆、空战略打击全面开始并持续加强。针对渐落下风的不利形势,日本展开了自杀式反攻,包括神风特攻队、震洋特攻艇、回天载人鱼雷和伏龙人体水雷。与此同时,日本陆军为即将到来的本土决战做好了准备，决心战斗到底。

因此，如何迫使日本尽快投降并结束亚太地区的战争成为盟军面临的严峻挑战。1945年5月8日，德国的无条件投降结束了欧洲战场的战争，盟军将全部注意力转向亚太战场。为了实施对日本本土的地面打击计划，美军向冲绳岛发动攻击，并在1945年6月赢得了这场战斗。然而，鉴于冲绳岛上的日军防守之激烈以及造成的伤亡之惨重，许多美国战略家提出了另一个方案来征服日本本土，代替代价高昂的登陆战，这便是使用原子弹进行轰炸。

1945年7月26日，中国、美国和英国发表了《波茨坦公告》，敦促日本无条件投降。作为最后通牒，它指出，如果日本不投降，就将面临"迅速完全毁灭"。公告共13项内容，提出了解散军队、惩罚战争罪犯、缩小领土、盟军占领日本等条件。得知公告内容后，裕仁天皇表示"原则上可以接受"。然而，由于公告使得天皇的地位充满不确定性，军部领导人大加反对，认为该公告"太不光彩"，而其他人则倾向于推迟答复，因为他们仍然寄希望于苏联会同意调停。最终，在1945年7月30日，首相铃木贯太郎发表讲话，称日本对该公告的态度是"无视（默殺）"，这被美国解读为"拒绝"。因此，美国作出了在广岛投放原子弹的决定。

原子弹爆炸当日

美国对日本本土发起全面空袭后,日本其他城市的居民面临生活困窘和空袭的双重打击,但直到1945年8月6日前,广岛并未遭受大规模空袭。谁也没有料到,末日会随着8月6日上午的一颗炸弹呼啸而来。时间回溯到7月31日,原子弹"小男孩"已经准备好交付;8月2日,广岛被指定为主要目标的命令下达,突击行动日期定在8月6日。

1945年8月6日凌晨2点左右,"艾诺拉·盖"号B-29轰炸机从太平洋天宁岛(距离广岛约2740公里)装载起飞,前往广岛。伴随这架四引擎飞机的还有两架携带照相机和科技仪器的观察机,负责观察并拍摄爆炸场景。"艾诺拉·盖"号上装载的铀弹"小男孩"[图2-15],长度超过3米,直径约0.75米,重达4.5吨,威力相当于2万吨TNT炸药。早上6点左右,世界上第一颗用于实战的原子弹在"艾诺拉·盖"号上整装待发。

图2-15 原子弹"小男孩"

8月6日清晨,夏日的广岛上空晴朗无云。7点左右,日本的雷达探测到有飞机正飞向日本,警报声响彻广岛全区。没过多久,一架气象观察机便在城市上空盘旋,但未见轰炸机踪影。这样的景象没有引起人们太多警觉,警报于半小时内解除。人们以为危险已经过去,便开始了日常工作。许多民间志愿团体和学生继续忙于民房拆迁工作,用以建立防火工事,防空避难。7点25分,"艾诺拉·盖"号在广岛上空8000米处巡航;8点09分,机组人员可见地面的城市景象,并收到了广岛天气晴朗的信息。

8点,日本雷达探测到美军B-29轰炸机在广岛上空盘旋。8点15分,在8500米的高空,"艾诺拉·盖"号将带着降落伞的"小男孩"弹出弹舱,目标为广岛市中心本川河和元安河交汇处的T型相生桥,但在下落约43秒后,它在广岛医院上空590米处爆炸,该医院位于广岛县产业奖励馆偏东南方向[图2-16]。

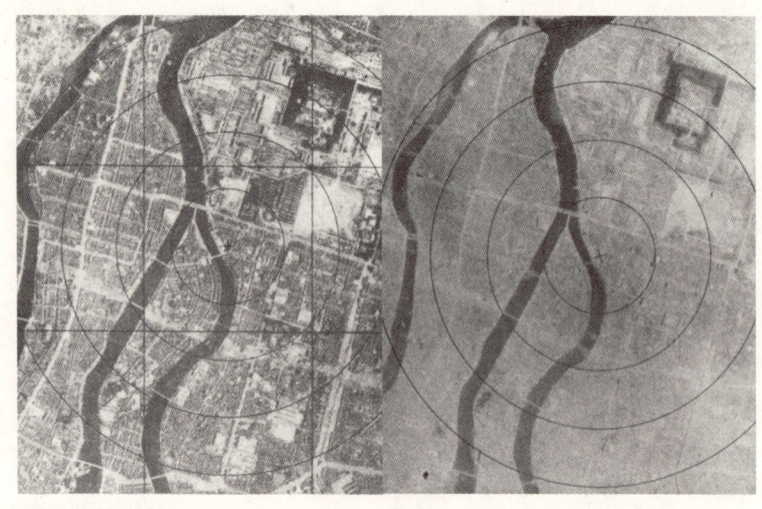

图2-16 轰炸前的广岛(左),轰炸和大火后的广岛(右)

原子弹是二战后期美国研发出来的新型武器，在爆炸瞬间能形成温度高达几十万摄氏度的巨型火球。仅仅 0.3 秒后，火球表面的温度迅速升至 7000℃。火球在爆炸后的 3 秒内产生了巨大的热辐射，原爆点（原子弹的落地点）的温度高达 3000—4000℃（铁的熔点约为 1536℃）。原爆点 1 公里内暴露在热射线下的人因剧烈灼烧和内脏破裂而死亡。原爆点 3.5 公里内的人被严重烧伤，衣物和木结构建筑瞬间被点燃。8 分钟内，浓雾和爆炸残骸形成巨大烟柱，城市上空出现了一个高达 9000 米的巨型蘑菇云，数里之外都清晰可见。

爆炸后几秒内，周围空气急剧膨胀，产生的冲击波再次引发了剧烈爆炸。在原爆点处，最大爆炸压力为每平方米 35 吨，最大风速为每秒 440 米。在距离原爆点 1.3 公里处，爆炸压力达到了每平方米 7 吨，风速为每秒 120 米。爆炸后约 30 秒，风暴范围达到 11 公里。气浪重创了人们，衣物被撕裂、皮肤被灼伤，有些受害者甚至内脏破裂，大量玻璃和残渣四处飞溅，嵌入人体 [图 2-17]。方圆 2.3 公里内的木结构建筑被夷为平地，3.2 公里内的木结构建筑半数以上被毁，原爆点附近的混凝土建筑也被爆炸震得粉碎 [图 2-18]。

图 2-17　原爆当天日本时间上午 11 点刚过,记者松重美人在御幸桥附近拍摄的两张照片

图 2-18 原爆点东侧：从左至右分别为千代田生命保险会社中国分社、芸备银行本部和住友银行广岛分行，1945 年 10 月

除了热射线和冲击波外,原子弹的第三大影响是巨量辐射,爆炸后 1 分钟内发出的伽马射线和中子射线对距离原爆点半径 2.3 公里内的生命造成了各种各样的物理伤害。半径 1 公里内的人受到强烈辐射,残留的辐射使许多在爆炸后 100 小时内进入该区域的人也受到伽马射线的辐射。爆炸发生 30 分钟后,广岛市西北区域下起大雨。这场"黑雨"中含有爆炸物燃烧时进入大气的大量泥土、烟尘和高放射性微粒。持续了 90 多分钟的"黑雨"不仅对人体造成了严重伤害,而且污染了原爆点周围甚至更远地方的动植物[图 2-19]。

据统计,广岛原爆点半径 3 公里内 85% 的建筑严重被毁,整个城市超过 90% 的建筑被烧毁或坍塌[图 2-20、图 2-21]。广岛市政府提供的数据显示,爆炸时市内约有 35 万人,其中包括 28 万到 29 万名平民(日本人和非日籍外国人)、约 2 万名朝鲜籍强迫劳工和 4.3 万名士兵。原爆直接致死或重伤的人口数约为 8 万。截至 1945 年 12 月底,约有 14 万人死于原爆导致的一系列疾病。曼哈顿工程调查组所提供的数据显示,原爆时广岛市内的总人数约 25.5 万,总伤亡人数约 13.5 万,其中死亡人数约 6.6 万,受伤人数约 6.9 万。

图 2-19　广岛和平纪念资料馆内残留着黑雨痕迹的白墙

图 2-20 原爆点南侧:人们穿行在已成废墟的本通街上,远处左侧可以看到元安河,远处为江波山和江波皿山,1945年10月

图 2-21　原爆点西侧：远处右侧为本川小学，1945 年 10 月

三

爆炸之余烬

原子弹爆炸与日本投降

1945年8月7日清晨,美国总统杜鲁门再次呼吁日本投降,并发出警告:日本如不接受投降条件,等待他们的将是"这个星球上前所未见的一场从天而降的毁灭之雨"。8月8日深夜,苏联加入战争,占领了日本在太平洋和亚洲大陆的领土。8月9日上午11点02分,美国在长崎投下了威力更大的钚弹"胖子",但因长崎地处狭长的山谷中,其所受影响要小于广岛。此后,裕仁天皇出面干预,下令接受盟国在《波茨坦公告》中规定的结束战争的条件。但军队对此反应强烈,在日本军队中,对天皇的忠诚是无可动摇的,但同样无可动摇的是拒绝投降的信念,现在这两者发生了冲突,叛乱就不可避免了。在日本宣布投降前夕发生了"宫城事件",陆军省的主战派军官试图阻止天皇的行为。叛乱很快被平息,一些极端分子自杀,其余参与者则被逮捕。

8月15日，裕仁天皇发表录音广播，宣布日本无条件投降，这意味着日本侵略战争的彻底失败和中国人民抗日战争的伟大胜利。公众对天皇的讲话反应不一，许多日本人只是平淡地如风过耳，然后像往常一样继续生活，而一些陆军和海军军官则选择自杀。一部分人聚集在东京的皇宫前哭泣，正如约翰·道尔在他的书中所言，他们流下的眼泪"反映了多种情绪……痛苦、遗憾、丧亲之痛和对被欺骗的愤怒，突然的空虚和失去目标的茫然"。

1945年9月2日，日本正式投降。日本外相重光葵和参谋总长梅津美治郎登上停靠于东京湾的美国"密苏里"号战列舰，签署了投降书[图2-20]。至此，二战以轴心国（德国、意大利和日本）的失败和反法西斯盟国（美国、中国、英国和苏联等）的胜利而告结束。

图2-22　在理查德·萨瑟兰将军的注视下，重光葵代表日本政府签署了投降书

围绕原子弹使用的争论

自从美国投下原子弹后,有关原子弹使用的争论就从未停止。多数支持者认为,正是因为使用了原子弹,太平洋战争才能迅速结束,原子弹直接促成了日本的投降,从而避免了战争双方更大的伤亡。反对者则认为,海军封锁和常规轰炸就可以迫使日本无条件投降,从军事上来看并没有使用原子弹的必要,原子弹和毒气没有本质区别,应被全面禁止,尤其不得对平民使用。而支持者认为,在全面战争,尤其是日本发起的战争中,根据其《国家总动员法》,平民和士兵并无区别,支持全面战争的民族原则上没有立场抱怨针对平民的战争。

总的来说,正当性一直是原子弹使用争论的核心问题,直到现在仍无定论。与其追问答案,不如听听来自不同层面的声音,包括政治和军事领导人、历史学家和普通民众,了解原子弹使用的前因后果,这有助于我们探索这一问题的本质。

在英国首相丘吉尔的演讲和美国总统杜鲁门的信中，都曾明确提出过对日本使用原子弹是结束战争、节省资金、避免双方更多伤亡的最快途径。原子弹轰炸几天后，杜鲁门还强调了日本突袭珍珠港及残忍杀害美国囚犯的行径，以此为自己的决定辩护，正如他曾写道："以其人之道还治其人之身。"以原子弹尽快结束战争，拯救数百万人的生命，是大多数支持者的观点。

　　英国历史学家安东尼·比弗对杜鲁门总统的决定表示完全理解，他认为战争中很少有行为在道义上是完全正当的，一个指挥官或政治领导人唯一能做的就是评估一场特定行动中可以减少的伤亡损失，这正是杜鲁门作出投掷原子弹决定的原因。比弗提出，美国最担心的是日本有可能顽抗到底、永不投降。日本在战争伊始就要求所有士兵战斗至生命最后一刻，并鼓动民众用竹矛和炸药包对盟军坦克进行自杀式袭击。有资料明确记载，日本军队已做好了接受高达2800万平民伤亡的准备。

　　美国学者迈克尔·科特进一步表明，日本所准备的防御工事要远远超出美国的预期。他说，当时争论的焦点并不是在广岛投掷原子弹还是登陆日本本土作战，而是盟军方面无人能提出迫使日本投降的万全之策。美军希望投掷原子弹能迫使日本投降，但要投掷多少颗原子弹才能实现这个目标却是一个未知数。广岛原子弹爆炸之后，长崎原子弹爆炸之前，日本政府有3天时间作出回应。裕仁天皇及其顾问都知道日本必须投降，但却无法让政府接受这一现实。日本政府的主要军事领袖都认为美国只有一颗原子弹，就算有第二颗，迫于公众舆论也不会再贸然使用。

此外，日本民众中还广泛存在"民族主义精神"，在某种程度上反映了日本投降进程的艰难。2007年6月30日，日本前防卫大臣久间章生在公开演讲中说："现在我理解了投放原子弹才最终结束了战争，尽管长崎（和广岛）经历了悲惨的灾难，但我认为这是无奈之举。"这一言论随即引发大规模公众抗议。之后，这名来自长崎的防卫大臣迅速道歉并于7月3日提交辞呈。

1945年，原子弹爆炸后随即进行的盖洛普民调显示，85%的美国人赞同使用这种新型原子弹袭击日本城市，认为此举可以尽快结束战争，拯救大量美军的生命。然而，人们的观念在不断改变。1991年时，《底特律自由新闻》发起的一项针对日美民众的调查显示，63%的美国人认为使用原子弹是结束战争的正义之举，仅有29%的人认为这并不正当。同时，仅有29%的日本人认为使用原子弹是正当的，64%的日本人则认为没有理由使用原子弹。

2015年时，皮尤研究中心发布了这一问题的最新结果，在18至29岁的美国人中，只有47%的人认为使用原子弹是合理的，而在65岁或以上的人中，这一比例为70%。美国年轻人对使用原子弹的支持率正在下降，但这并不意味着美国人认为他们必须为此道歉。在同一项盖洛普民调中，73%的人认为美国不应该就广岛和长崎的原子弹爆炸向日本正式道歉，仅有20%的人认为需要正式道歉。在某种程度上，2016年奥巴马对广岛的访问也反映了这一趋势，当时奥巴马只是就不扩散核武器发表了讲话，并设有为投掷原子弹而道歉。

第三章

民间"和平之声"

一

反战运动

与战败后被美、英、法、苏共同占领的德国不同,日本在战败后形成了基本由美国单独占领的格局。盟军最高司令部(SCAP)或盟军总司令部(GHQ)处理占领事务,麦克阿瑟为最高司令官,盟军总司令部和麦克阿瑟以指令、备忘录、书信等形式向日本终战联络委员会或日本政府下达命令,这就是美国的对日占领体制。美国基于自己的利益对日本进行改造,对日本的占领是间接的,日本政府仍继续存在并发挥作用。美国占日的最初目标是使日本实现非军事化和民主化。

1946年11月3日,日本国会通过了一部新宪法,1947年5月3日开始正式实施。新宪法第二章第九条规定:"日本人民真诚追求以正义和秩序为基础的国际和平,永远放弃国家的战争权,放弃以武力相威胁或使用武力作为解决国际争端的手段。为了达到以上的目的,日本将不再拥有所有海军、陆军、空军等一系列武力,国家交战权也不会得到国际承认。"[图3-1]这一条款确立了日本将放弃战争并解除军事力量,这部宪法因此被称为"和平宪法",从法律上确定了主权在民原则,赋予日本公民新的权利。与此同时,日本的左派得

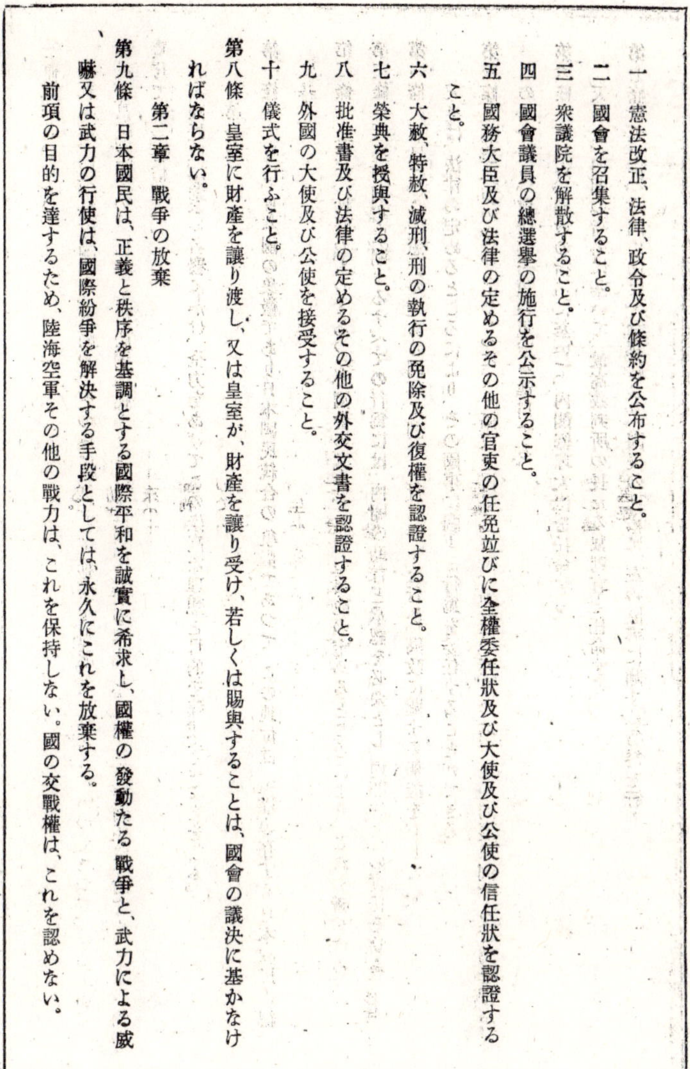

一　憲法改正、法律、政令及び條約を公布すること。
二　國會を召集すること。
三　衆議院を解散すること。
四　國會議員の總選擧の施行を公示すること。
五　國務大臣及び法律の定めるその他の官吏の任免竝びに全權委任狀及び大使及び公使の信任狀を認證すること。
六　大赦、特赦、減刑、刑の執行の免除及び復權を認證すること。
七　榮典を授與すること。
八　批准書及び法律の定めるその他の外交文書を認證すること。
九　外國の大使及び公使を接受すること。
十　儀式を行ふこと。
第八條　皇室に財産を譲り渡し、又は皇室が、財産を譲り受け、若しくは賜與することは、國會の議決に基かなければならない。

第二章　戰爭の放棄

第九條　日本國民は、正義と秩序を基調とする國際平和を誠實に希求し、國權の發動たる戰爭と、武力による威嚇又は武力の行使は、國際紛爭を解決する手段としては、永久にこれを放棄する。
　前項の目的を達するため、陸海空軍その他の戰力は、これを保持しない。國の交戰權は、これを認めない。

图 3-1　新宪法第九条，1946 年 11 月 3 日

以合法化。战时，社会主义者和劳工组织受到严厉镇压，因为他们自中日甲午战争爆发以来便一直是反战运动的主力军。1945年末，工人被赋予组织权，之后工会成员人数激增，很快他们就成为日本社会主义和共产主义政党的附属政党和代表。然而，左翼激进主义的红火只是昙花一现。

1947年3月12日，美国总统杜鲁门在国会宣读了一篇关于遏制苏联和"共产主义扩张"的咨文，拉开了冷战（1947—1991年）的帷幕。美国认为，日本是亚洲唯一能够遏制敌对意识形态的国家，于是逐步调整对日政策，从民主改造转向扶植复兴，希望通过日本的经济复苏和政治复兴来强化日本作为其资本主义盟友和东亚反共基地的作用。除了为日本重新军事化提供经济援助外，美国还释放了几位臭名昭著的甲级战犯，使他们成为美国在日本最有力的支持者。自此，促进日本再军事化和经济复苏的进程开始启动，重工业也相继重建。

1950年，朝鲜战争（1950—1953年）爆发。在日本共产党（JCP）的支持下，左翼活动家组织的反战运动开始兴起，他们抗议美国在日本设立军事基地，维护日本和平宪法第九条。在试图阻止日本生产武器并向驻朝鲜半岛的美国军队运送武器的活动参与者不仅有日本人，还有在日本的朝鲜人。不幸的是，他们中的许多人被警察逮捕，并被美国占领军判处多年的苦役和监禁，朝鲜籍左派往往被遣返并处决。最终，日本在朝鲜战争期间成为与美国合作的"巨型补给站"，战争"特需"刺激了日本金属、机械、外贸等行业的迅速发展，日本经济由此进入高速增长期。

1951年9月8日,作为结束美国对日本占领的条件,日本签署了《日本国和美利坚合众国间的安全保障条约》(简称"《日美安保条约》"),主要内容有:承认日本为主权国家,允许美国在日本国内及其附近驻军,并且规定未经美国同意,日本不得将美军基地上的权利给予第三国。该条约没有规定到期或续订日期。匪夷所思的是,该条约甚至允许美国对日本使用武力,如镇压"由于一个或几个外国之煽动或干涉而在日本引起的大规模暴动和骚乱",却没有承诺美国在日本受到第三方袭击时保护日本。之后,反战运动的焦点转移到"反安保"上,抗议者多为日本左翼分子,也包括一些右翼保守派。

同一时期,美国进行的核试验以及美军和日本民众之间的一系列冲突,促使反对势力进一步扩大。面对日本民众强烈的反美情绪,美国时任总统艾森豪威尔同意修改《日美安保条约》。然而,抗议者希望彻底废除该条约和美日同盟。随着冷战紧张局势的加剧,反安保运动持续扩大。从1959年底到1960年,这场运动得到了众多组织的支持,这些组织的成员不仅有社会主义者、共产党人、工会成员,还有反核反基地活动家、学生团体和妇女协会、著名知识分子和艺术家等。

最终，1960年的反安保运动未能阻止修订后的新《日美安保条约》[图3-2]生效。但当时日本国内强烈的反美情绪迫使即将上任的肯尼迪总统改变了对美日关系的态度，美国承诺将日本视为更亲密的盟友，特别是在支持日本经济发展方面。20世纪70年代越南战争（1961—1975年）时期，日本一些学生团体、民间团体和反越战组织再次举行了一系列抗议新《日美安保条约》的活动，但因当时运动的重点已基本转移到反核武器上，故鲜有人关注。

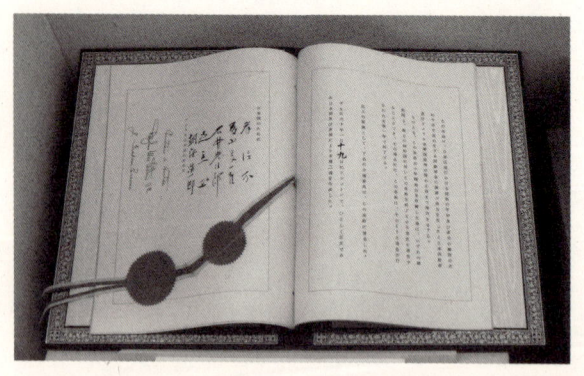

图3-2 新《日美安保条约》文本

二

反核武器运动

广岛和长崎的特殊经历,让日本在全球反核武器运动中扮演了重要的角色,但早期和平运动的主流及和平教育并未涉及核武器问题,这主要受制于盟军总司令部。1950年3月19日,世界保卫和平大会常设委员会执行局在瑞典首都斯德哥尔摩发表宣言,要求无条件禁止原子武器,宣告凡首先使用原子武器的政府就是犯了反人类的罪行,并号召人们在该宣言上签名。随后,全世界范围内掀起了签名运动,日本也发起了第一次广泛的反对原子武器的运动。由日本维护和平委员会(JCMP)发起的请愿活动得益于民间力量的参与,最终在日本收集了645万个签名。然而,当时正值日本国内的清共运动高潮,任何与共产主义有关联的东西都被打上了嫌疑的标签。因此,《斯德哥尔摩宣言》被污蔑为"红色运动",影响极为有限,但民众的力量并未就此消失。

禁止核武器运动

到 1951 年盟军占日末期,日本媒体开始报道原子弹造成的巨大破坏和挥之不去的痛苦。但当时这些报道仅被视为地方性事件,对整个国家而言没有特殊意义。直到 1954 年著名的"第五福龙丸事件"(又称"比基尼事件")发生后,核武器才引起全日本的关注。3 月 1 日,美国在太平洋比基尼环礁上进行了最大的一次氢弹试验,产生的放射性沉降物飘落在一艘载有 23 名渔民的"第五福龙丸"号日本渔船上,致使许多船员当晚出现辐射中毒症状 [图 3-3]。

图 3-3　东京都立第五福龙丸展示馆里的"第五福龙丸"号渔船的船头

日本政府在事件发生的第二天就迅速作出反应，除了购买受辐射的船只外，还为船员提供了医疗服务和经济补偿。尽管接受了治疗，该船40岁的首席无线电员久保山爱吉还是在1954年9月23日死于辐射病。这名船员的不幸离世使人们更加清楚地认识到辐射会给生命带来多大的危害，民众对核武器的恐惧达到了顶峰。这次事件也被日本人认为是第三次受到核武器的伤害。

受"第五福龙丸事件"影响，日本的鱼市暂时关闭，鱼贩和寿司店经营者很快便无法维持生计。于是，他们聚集在东京筑地市场的礼堂，发起了收集反对原子弹和氢弹的签名活动，为自己无法开张营业造成的损失争取赔偿。首先对"第五福龙丸"号船员受辐射伤害提出正式抗议的，是这艘渔船的船籍港烧津市的议会，不久后在4月初的国会和其他议会上，议员们也纷纷提出抗议。

4月中旬，东京杉并区议会通过反氢弹决议，并成立特别委员会负责5月9日的请愿活动。到6月底，请愿书已收集了约27万个签名，这表明该区几乎所有成年人都在请愿书上签下了自己的名字。中产阶级妇女，尤其是家庭主妇们在请愿活动中发挥了关键作用。由于对核辐射的恐惧蔓延至整个国家，这一活动引起了广泛关注，最终，日本于8月8日成立了全国禁止原子弹和氢弹请愿运动委员会。久保山爱吉9月死于辐射病后，请愿运动更是愈演愈烈。截至1955年8月，签名人数达到3259万。

为保持这一势头，全国委员会决定自1955年起举办年度禁核大会。1955年8月6日，首届禁止原子弹和氢弹世界大会在广岛和平纪念公园内的市礼堂（今广岛国际会议中心)召开。此次会议成立了日本禁止原子弹和氢弹协议会(由日本共产党支持),并决议继续进行请愿运动,推进了对广岛和长崎被爆者(原子弹幸存者)的援助。

20世纪70年代中期,由于对苏联进行核试验的立场发生冲突,该组织分裂为两个,另一个组织称为日本禁止原子弹和氢弹大会(由日本社会党支持)。自此,日本禁止原子弹和氢弹协议会与日本禁止原子弹和氢弹大会单独举行各自的世界大会。他们邀请全球和平组织及学者来广岛和长崎参与讨论,旨在消除核武器,是民间反核和平运动的两支主要力量,这两个组织曾于1977年合并,但在1986年又再次分裂。

随着废除核武器的呼声不断加强,越来越多的国内或国际民间组织加入了这场大规模的反核武器运动。和平市长会议就是其中之一,1982年由当时的广岛市市长荒木武倡议成立,是致力于促进和平的国际城市组织,主要目的是通过成员城市间的紧密团结唤起世人对彻底废除核武器的关注,为实现世界持久和平作出贡献[图3-4]。

1982年6月24日,在纽约联合国总部举行的第二届联合国裁军特别会议上,时任广岛市市长荒木武发出倡议,呼吁世界各地的城市超越国界,团结一致,共同推动废除核武器。次年,和平市长会议仅有的两位成员——广岛市(主席兼领导城市)市长和长崎市(副主席城市)市长首次向23个国家的72个城市发出了呼吁。截至2022年7月,已有166个国家和地区的8188个成员城市加入该组织,共同支持废除核武器的谈判。

和平市长会议在全球推动各种旨在消除核武器的倡议,与成员城市、公民团体、非政府组织和世界各地的其他组织建立起联系。它的另一个伙伴组织是"国际废除核武器运动"(ICAN),该组织于2007年4月成立,是由105个国家的570个非政府组织组成的全球公民社会联盟,旨在促

图 3-4 和平公园中竖立的石碑:"从地球上废除核武器"

进遵守和充分执行《禁止核武器条约》(TPNW),2017 年该组织被授予诺贝尔和平奖。

为提醒人们注意任何使用核武器可能带来的灾难性后果,并实现基于约的禁止核武器,"国际废除核武器运动"在每一次不扩散条约审议大会上扮演民间社会协调员的角色,将各国政府、各种国际组织和学术机构等聚集在一起。在人道主义会议成果的基础上,该组织还发起了在联合国建立禁止核武器条约的运动。为达成这项最强有力和最有效的《禁止核武器条约》,"国际废除核武器运动"作为主要的民间力量,在整个谈判过程中与各国政府一道作出种种努力。最终,2017 年 7 月 7 日,该条约正式通过,并于 2021 年 1 月 22 日生效。

原爆幸存者援助运动

随着反核武器运动的发展，原爆幸存者的声音在呼吁全世界进行核裁军方面发挥了重要作用。在被曝光之前，他们已经开始了争取财政和医疗支持的行动。作为研究对象，原爆幸存者最初可根据1942年《战时伤亡人员抚恤法》获得援助。然而，1945年10月初，该法律的有效期截止。由于许多幸存者迫切需要医疗服务，广岛县指定了市内6家医院为他们提供医疗服务，但是他们遭受的痛苦与其他战争受害者不同，当地医院缺乏足够能胜任的医护人员，幸存者不断出现的许多新症状使医院陷入瘫痪。

广岛原子弹爆炸后不久，美国派遣了小组进行有关原子弹杀伤力的调查，收集有关原子弹爆炸破坏力的基本数据。但因1945年9月19日驻日盟军总司令部下令对日本的报纸和其他出版物实行新闻管制，大部分资料都无法被公之于众。然而，公众仍能接触到有限的与原子弹有关的资料。据统计，1945—1950年，关于原子弹的新闻报道有40多篇。尽管信息量非常有限，但某种程度上，部分原爆幸存者们也因这些少量的信息组织起来，成为20世纪50年代早期要求日本政府为原爆幸存者提供特殊援助的先行者。

随着1952年4月《旧金山对日和平条约》的生效与原子弹有关的信息被广泛公布，提高了人们对原子弹爆炸后果的认识。与此同时，原爆幸存者的数量也在急剧增加。1953年1月，广岛市原子弹爆炸受害者委员会成立，旨在"调查和促进对原子弹爆炸造成伤害的研究和治疗措施"，但因资金缺乏，调查和医疗举步维艰。

1954年"第五福龙丸事件"发生后，日本政府立即对船员进行治疗，而同样是遭受核武器伤害，原子弹爆炸的幸存者却得不到这样的待遇，这两种截然不同的反应引发了广岛和长崎的不满。随着全国范围内的民间反核运动呼吁禁止原子弹试验和氢弹试验，原爆幸存者的声音逐渐被公开。于是，广岛和长崎的苦难成为"日本的国难"。与此同时，全国范围内的强烈反美情绪被点燃，特别是在美军的占领已经结束，而日美安全同盟仍允许美国有权在日本驻扎军队和设立军事基地之后。

面对民间抗议活动的压力，亲核政府——日本和美国——都被迫作出了明智的选择。考虑到日本政府在"第五福龙丸事件"之前就已开始了发展原子能的计划，美国决定协助日本组织一场"和平利用原子能"的运动，以平息日本国内的反核运动和反美民族主义。在获得美国的支持后，日本政府在发展原子能方面迈出了重要的一步。此外，政府还开始设置防止放射性物质的保护措施，以安抚公众。具有讽刺意味的是，正是这些措施为原爆幸存者要求国家提供医疗援助的合法化提供了助力。

"第五福龙丸事件"和政府发起的原子能利用计划为被爆者的医疗立法铺平了道路。终于，日本政府在1957年颁布了《原子弹爆炸幸存者医疗保健法》(简称"1957年医疗法")，为那些在轰炸时距原爆点一定距离内，且受到原子弹辐射造成健康受损的幸存者提供医疗救济[图3-5]。

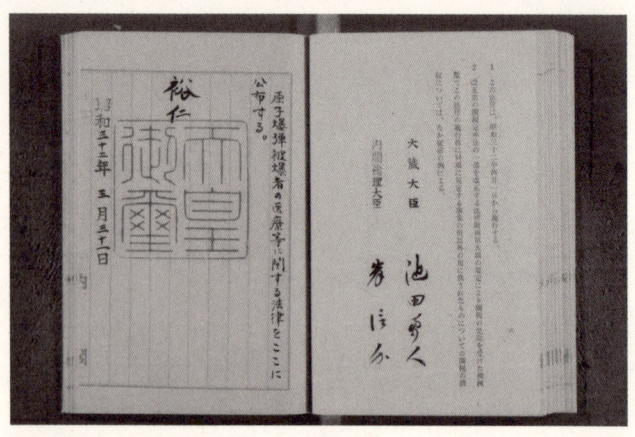

图 3-5　1957 年医疗法的首页

由于受助条件的严格限制,只有少数幸存者有资格根据 1957 年医疗法获得援助。因此,在接下来的几年里,幸存者们发起了数起"原爆诉讼",要求国家给予赔偿,承认原爆综合征,承认"被爆者"的身份,并对相关的赔偿条款进行完善。这些来自民间的努力得到了回报,1957 年医疗法经历了多次修订,并促成了《原子弹爆炸幸存者特别法》(简称"1968 年特别法")的实施。此后,政府开始向原子弹爆炸幸存者提供特别津贴和其他救助措施。

而支持原爆幸存者的抗议活动还在继续进行,因为还有一定数量的受害者来自其他国家,其中来自朝鲜半岛的人口占比最大,达到25000—28000人。据估计,亲历广岛原子弹爆炸的中国人约有几十到几百人,其中有20—240人被炸死。其余的非日本籍受害者还包括3200名日裔美国人、12名美国战俘、8名来自东南亚的外国学生、7名俄罗斯人和2名德国人。1974年,日本厚生省(MHLW,今厚生劳动省)发布政令,规定在日本境外的原子弹爆炸幸存者没有资格享受救助措施,也没有资格领取任何津贴,日本幸存者与海外幸存者之间在救援措施上的这种差距引发了更多的"原爆诉讼"。值得庆幸的是,到1978年,海外原子弹爆炸幸存者有资格申请原子弹爆炸幸存者证书(一本代表他们特殊身份的医疗手册)。然而,由于健康和经济状况不佳,许多人无法亲自前往日本走完整个流程获得这一手册。经过2002年的几起诉讼后,专项财政开始支付大部分海外幸存者前往日本的交通费用。2008年起,幸存者无须再亲自前往日本申领。如果没有原子弹爆炸幸存者和众多民间组织的不懈努力,这些变革性的结果就不可能实现。

梳理日本禁止核武器运动和原爆幸存者援助运动的发展历程可以发现,"第五福龙丸事件"在引发反核武器抗议风暴方面发挥了关键作用。但为什么不是广岛原子弹爆炸呢?原因是可以理解的,"第五福龙丸事件"更精准地击中了日本民众对辐射中毒蔓延至整个国家的恐惧,因为鱼一直是日本饮食文化的中心。然而,无论从死亡人数还是从其他各个方面进行比较,令人难以置信竟然是"第五福龙丸事件"而不是广岛原子弹爆炸为反核运动和制定援助幸存者的法律铺平了道路。

也有观点对此作出辩解,认为其原因在于美国占领结束之前,严格的审查制度使得关于广岛原子弹爆炸的相关信息无法为公众所知晓,以至于反核武器运动"姗姗来迟"。但日本和美国政府对这两起事件的反应截然相反,仍令人费解。除了民众的抗议和反美情绪受到压制外,另一个原因可能是不同于广岛原子弹爆炸,"第五福龙丸事件"与战争无关。换句话说,谈论广岛被轰炸的原因,将不可避免地与日本过去的侵略罪行以及美国投下原子弹这些有争议的历史联系起来,于是二者不约而同地采取了回避的态度。

三

和平运动

与上文所述反战运动和反核武器运动有所不同的是,运动中还有一股力量,试图以更全面的方式传播和平理念,即同时包括"反战"和"禁止核武器"两大主旨。其中,原爆遗址保护运动和艺术家主导的和平运动便是可借鉴的范例。

原爆遗址保护运动

原爆遗址保护运动即保护原子弹爆炸的现场,包括建筑物和树木,它们也经历和见证了广岛从军事城市向和平城市的转变。随着时间流逝,许多原爆幸存者逐渐老去、离世,聆听他们亲身经历的机会也越来越少。与幸存者不同的是,建筑物和原爆树木经过适当修缮和保护后可以成为展示战争以及核武器破坏性威力的永久见证,使得这一保护工作更有意义。

原爆树木

原爆后的广岛成为废墟,一片焦土,辐射残留量极高。据时人估计,广岛将在未来的 75 年里寸草不生,成为了无生机的荒芜之地。但第二年春天,令人激动又惊讶的是,在废墟中居然冒出了新的生命。首先绽放花朵的是夹竹桃,紧接着发出新芽的是梧桐树,它们给广岛人民带来了无比的勇气和希望。因其顽强的生命力，1973年夹竹桃被指定为广岛的"市花"。1946年春天最早发芽的梧桐树也成为和平的象征，它的种子被传播到世界各地，表达了广岛人民对无核世界的期盼。

如今矗立在城中的树木里，有数百棵位于当年原爆点附近，尽管它们曾被炸得支离破碎或化为焦炭，但其后却迅速恢复生机并焕发新生。作为这段惨痛历史的见证者，这些树木用顽强的生命力诠释了战争的残酷与对和平的向往。这些树木被正式命名为"原爆树木"，每一棵原爆树木都有自己的铭牌。成立于2011年的全球志愿者倡议组织——广岛绿色遗产项目（GHL）在收集原爆树木的数据方面发挥了重要作用，它与广岛亚洲网络（ANT-Hiroshima）一起，在志愿者和译者的帮助下，创建了一个英文的"广岛原爆树木数据库"，其中包括原爆点约两公里半径范围内55个地点的170棵原爆树木的详细描述和照片 [图3-6至图3-10]。

"广岛绿色遗产项目"还积极与一些机构，如和平市长组织、广岛和平文化基金会和广岛大学等合作，用原爆树木的种子和幼苗向全世界传递和平信息。为了使这些树木得到更好的照顾，它先与拥有种植知识和经验的大学、植物园和公共机构建立联系，之后又扩展到城市公园、学校和其他公共设施。该组织还在美国和苏联的核试验场或附近植树，因为那里有与广岛和长崎的原爆幸存者一样痛苦的辐射受害者。截至2022年，原爆树木的种子和幼苗已被送往35个国家并在那里落地生根。

·图 3-6 白神社附近的铁冬青树,距原爆点 530 米,爆炸中树干完全被烧焦,仅剩一截孤零零的树桩,后新芽从树桩上冒出,长成了今天的样子

图 3-7 广岛城内的桉树,距原爆点 740 米,这棵树木在爆炸中幸免于难

图 3-8 广岛和平纪念公园的梧桐树,原爆后最早发芽,展示出顽强生命力的树木,深受广岛市民的喜爱

图 3-9 广岛城堡入口附近的巨大褪色柳

图 3-10 报专坊寺的大银杏树，距原爆点约 1130 米，银杏在爆炸中幸存，而寺庙被毁，后重建

被爆建筑

与爆炸后不久给幸存者带来生机和希望的原爆树木不同，被爆建筑醒目地彰显着恐怖的曾经，很可能会给人们带来二次伤害。因此，许多人倾向于清除这场悲剧所有有形的残余，将广岛重建为一座全新的"和平城市"。但多亏原爆幸存者和民间团体所做的努力，广岛还是保留了几座被原子弹轰炸过的建筑物。他们认为，残损的建筑比任何呼吁持久和平的话语都更有说服力。

原子弹爆炸后残存的建筑中最著名的是原爆圆顶馆，这座巴洛克风格的建筑始建于1915年，1996年12月被授予"世界文化遗产"称号。如今，它已成为广岛市的标志性建筑，成为记录原子弹爆炸灾难的历史遗迹[图3-11]。

休息室在原爆圆顶馆对面，是一座带地下室的三层钢筋混凝土建筑[图3-12]。这座建筑距原爆点仅170米，尽管在爆炸中受到重创，但其基本框架得以保存，并未倒塌。经过几次修整后，它现在用作旅游问询中心，其地下室则保留了1945年8月6日的原样，以展示原子弹爆炸时的情景[图3-13]。

图 3-11　原爆圆顶馆

图 3-12　2020 年修整后的休息室

图 3-13　休息室的地下室

其他几座被炸毁的建筑也有类似的经历，旧日本银行广岛分行是日本鲤城道上唯一保存原貌的建筑，现已向公众开放，供民间团体举办文化与和平活动［图 3-14、图 3-15］。前本川小学是离原爆点最近的一所公立学校，其地下室和被炸毁的校舍被原样保留下来，作为核武器巨大破坏力的明证，如今它已被改造为一个和平博物馆，展示从原子弹爆炸现场收集的展品［图 3-16］。因损毁严重差点被拆除的前袋町小学后来也被改建为和平博物馆，人们在焦黑的墙上发现了被爆者写下的留言。随后，这些留言作为珍贵的原爆文献被展出。

图 3-14　旧日本银行广岛分行，1945 年 11 月

图 3-15 旧日本银行广岛分行今貌

图3-16 本川小学和平博物馆

旧广岛陆军服装仓库是原子弹袭击后留下的最大建筑物之一[图3-17]。它建于1913年,战时这四座建筑都用于生产、维修、储存和交付军备物资,如给臭名昭著的广岛第五师团士兵提供所需衣物装备等。如今,其中的三座由广岛县管辖,剩下的一座为国有资产。由于这些建筑不具备抗震能力,且加固工程要花费大量资金,因此广岛县政府计划于2022年拆除其中两座。这一决定遭到了广岛市政府及众多广岛市民的反对,他们呼吁保存这片仓库,并在网上发起保存这片遗迹的请愿活动。截至2019年12月,已有15000多人为该请愿签名。请愿者们希望保留仓库的原貌,并在此基础上修建面向公众开放的历史和教育中心,通过这些残存的建筑,将战争的教训传达给子孙后代,传达和平的意义。2021年5月,官方决定暂时保留这些建筑,不过具体规划仍待商榷。

图 3-17 旧广岛陆军服装仓库

艺术家的和平运动

艺术是促进和平的一种重要方式，在反战及反核武器运动中活跃着一批艺术家的身影。作为一支特殊的民间和平力量，他们通过诗歌、小说、图像等艺术创作形式，还原原子弹爆炸时的情境，唤起这一灾难性事件背后的人性。这些作品都是和平教育与和平运动的重要资源，有助于在全球范围内传播不要再有战争、不要再有原子弹的和平讯息。

尽管有严格的审查制度，但从1946年春天开始，广岛的诗人迅速通过他们的作品反映出原爆的恐怖情境，最初采用的是俳句和短歌等传统形式，但由于原爆的恐怖难以用这样的形式来表达，许多诗人转而采用自由诗体裁。渐渐地，独特的"原爆文学"应运而生，它让大众了解核武器的破坏力，在推动消除核武器方面发挥了重要作用。在广岛原爆中幸存下来的诗人深川宗俊表示，"在广岛，原爆后诗人的反应最为迅速，他们用诗歌来描述这一切"。

目睹并记录原爆事件的诗人有栗原贞子、原民喜、大田洋子和峠三吉等。其中，最早出版的是栗原贞子的代表诗集《黑蛋》(黒い卵)。这是1946年的第一本原爆文学作品，该书因大胆揭露了原子弹爆炸造成的恐怖后果而受到美军的严格审查。《黑蛋》在1986年以未经审查的原稿再版，为人们了解广岛原爆的影响提供了独特的视角，其中最为广泛传播的一首诗《让我们成为助产士！》，关注战争暴行中的人性，试图唤醒那些人性泯灭并沦为战争机器的极端分子。

让我们成为助产士!

——原爆不为人知的故事

夜晚,建筑已经变成废墟,在地下室中。

原爆幸存者挤满了昏暗的房间;

连一根蜡烛都没有。

鲜血的味道,死亡的恶臭

人类的臭气、呻吟——

在这样的环境中,奇迹般地,有一个声音:

"孩子要出生了!"

在这个如同炼狱般的地下室,这一刻,

一位年轻的妇女即将临盆。

在昏暗中,连一根火柴都没有,怎么办?

人们忘记了自己的苦痛,担忧地看着她。

突然间传出一个声音:"我是一个助产士,我可以帮助她。"

说话的人受伤严重,

不久前还在痛苦呻吟。

即便如此,在这仿佛地狱般的黑暗中,

新的生命即将到来。

破晓之际,助产士死去了,

沐浴在鲜血中。

让我们成为助产士!

让我们成为助产士!

即便失去生命也在所不惜。

——译自理查德·迈尼尔的英文版本

与栗原一样，不堪回首的轰炸经历也改变了原民喜的生活，并成为他写作的主题之一。《夏之花》(夏の花)是他最重要的作品，主要根据他逃难时写下的笔记创作而成。因此，它被认为是最有价值的实况记录之一。作为原爆文学的奠基人之一，原民喜善于通过描述恐怖事件后的人性沦丧来强调原子弹爆炸的残酷。不幸的是，由于担心美国在朝鲜战争中再次使用核武器，原民喜选择卧轨自杀，结束了其短暂的一生。

另一类原爆文学的作者虽未目睹原子弹爆炸，但根据原爆受害者的资料和采访材料创作了他们的作品，如井伏鳟二的《黑雨》(黒い雨)和大江健三郎的《广岛札记》(ヒロシマ・ノート)。在《黑雨》中，井伏鳟二将原爆的经历嵌入普通人的战争苦难，这使得读者更容易与广岛产生共鸣，共情战争受害者的故事[图3-18]。大江健三郎作为原爆文学最杰出的代表之一，他的《广岛札记》详细揭露了幸存者悲惨生活的大量真相，以及20世纪60年代原子弹辐射给广岛带来的痛苦和悲剧。

图 3-18　英语版（左）和日语版（右）的《黑雨》

除了原爆文学外,视觉艺术也为广岛原爆的恐怖在全世界的传播作出了巨大贡献。广为人知的艺术家有:画家丸木位里和丸木俊,他们联手创作了15幅油画;漫画家中泽启治,他的《赤脚阿元》(はだしのゲン)系列漫画很受欢迎;纪录片制片人史蒂文·冈崎,拍摄了几部记录原爆幸存者故事的电影;摄影记者福岛菊次郎,将其照片集命名为《Pikadon:一位原爆受害者的记录》(*Pikadon:ピカドン一ある原爆被災者の記録*),记录了广岛原爆受害者以及辐射对他们身体造成的伤害。

据记载,《原爆图》被认为是最早抵制核时代到来的艺术品之一。亲历广岛原爆之后,丸木夫妇于1948年左右开始合作绘制《原爆图》[图3-19]。盟军占日时期,以美国为首的占领军实施的新闻限制令严格管控与原爆相关信息的公布,而《原爆图》在向日本和国际社会公开被隐瞒的原爆惨状方面发挥了关键作用。它由15幅画组成,其中大部分描绘了原爆在广岛和长崎带给人们的灾难,画中人物包括日本平民、朝鲜籍强迫劳工和美国战俘等。

图 3-19　丸木夫妇正在创作《原爆图》

1950年起，丸木夫妇走访了很多地方，在各种临时场所，如市民中心、寺庙和学校体育馆等展出其作品。1952年4月，《旧金山对日和平条约》生效，美国结束了对日本的占领，青木书店出版了第一本《原爆图》。1953年1月，丸木夫妇被世界和平理事会授予国际和平奖；6月，他们的广岛版画开始在东亚和欧洲的约20个国家进行为期10年的世界巡回展。1967年5月，丸木夫妇建立了自己的画廊来展示《原爆图》，但国内外的巡回展仍在继续。

多年来，他们对人类暴行的关注日益广泛，创作的题材不仅有广岛和长崎的原爆，而且还涉及其他恐怖事件，如南京大屠杀、奥斯威辛集中营、冲绳战役和水俣水银中毒事件等。如今，他们的大部分作品被保存下来并在埼玉县的丸木画廊展出。画廊为学校和团体提供和平教育，也为促进反核艺术及其社会作用的研究提供资源，并希望吸引更多的人参与反对任何战争暴行的行动中。

与丸木夫妇杂糅中国水墨画和西方油画肖像风格的《原爆图》不同的是，中泽启治采用了漫画这种最受欢迎的方式，以赤脚阿元的口吻讲述广岛故事。这部作品被认为是中泽启治的半自传，中泽本人也经历了广岛原爆事件，他的四位家庭成员，包括父亲、两个姐妹和一个小弟弟都在原爆中丧生。1966年，中泽的母亲在被原子弹病折磨了7年后也去世了，此事让中泽深受打击，并由此创作了《赤脚阿元》[图3-20]。

阿元的名字在日语中有"根"和"起源"之意，也暗含了"核元素"及"幸福的根源"的意思。赤脚阿元站在广岛被烧毁的废墟上，大声反对战争和核武器。中泽希望通过阿元的故事让读者了解到和平的可贵，获得坚强生活的勇气，就像故事中的小麦一样。[图3-20]。

图 3-20 日语版（左）和英语版（右）《赤脚阿元》第 1 卷

受中泽启治《赤脚阿元》的启发,曾三次获得奥斯卡最佳纪录片奖提名的美国纪录片制作人史蒂文·冈崎于1980年左右开始将目光转向广岛和长崎。1982年,冈崎首次拍摄了关于原爆幸存者的纪录片。这部名为《幸存者》的电影讲述了20名原爆幸存者不同寻常的经历,他们或返回原籍,或移民到美国,并在余生继续面对着一系列身体、心理和社会问题的折磨。

为提高人们对1945年原爆事件的认识,特别是对原爆幸存者故事的了解,冈崎在2005年创作了纪录片《蘑菇俱乐部》,在2007年创作了《白光/黑雨:广岛长崎之毁灭》。《蘑菇俱乐部》围绕30名原子弹幸存者以及几名参与广岛和长崎爆炸事件的美国科学家和飞机导航员展开。通过这些人的视角,冈崎试图从日本和美国普通人的角度来讲述故事,并附带学术和政治分析。在《白光/黑雨:广岛长崎之毁灭》中,冈崎采访了14名日本原爆幸存者,其中大多数人以前从未公开现身,还有4名与1945年广岛和长崎原子弹爆炸事件密切相关的美国人。这三部作品都揭示了原子弹的破坏力、难以想象的苦难和人类生命力的非凡韧性。

资深摄影记者福岛菊次郎是通过镜头讲述原子弹爆炸后幸存者在日常生活中所面临困境的第一人。在《Pikadon：一位原爆受害者的记录》的摄影集中，福岛记录了广岛的原爆受害者，特别是核辐射对其身体的伤害。该影集的中心人物是中村杉松，一位与病魔作斗争的受害者，和他的六个孩子，生活贫困潦倒。在获得中村许可后，福岛记录了中村痛苦的生活和家庭的逐渐崩溃。1953—1960年，福岛跟随中村到处走访，拍摄中村的一举一动，甚至包括中村在榻榻米上因痛苦而挣扎流泪的时刻。

然而，中村只是一个普普通通的小人物，他的痛苦和贫穷是战后早期日本许多原爆幸存者所共有的。在广岛，1945—1955年常被描述为"空白的十年"，关于原子弹爆炸幸存者的生活以及他们在战后挣扎求生的信息很少。因此，福岛在20世纪五六十年代的早期作品具有很高的历史价值，其中关于中村杉松生活的纪录在提供战后日本被爆者困境的视觉资料方面发挥了关键作用，这也正是中村所希望的——让世人了解原子弹爆炸给幸存者带来的长期痛苦。

追溯反战运动和反对核武器运动的历史可见，来自民间的力量在争取和平方面发挥了根本性的作用。就像原爆树木能在遭受严重摧残后焕发新生那样，来自民间的力量团结在一起，其潜力是巨大的，这股力量能将世界引向和平与非暴力的发展方向。

第四章
创建"和平之城"

在广岛的重建过程中,民众发挥了重要作用。整座城市在原子弹袭击中被摧毁,人们不得不挣扎着去面对这场毁灭性的爆炸。尽管当时的环境极其恶劣,但广岛市民在被轰炸后便迅速开始了重建工作。

时任广岛县知事高野源进在领导城市重建方面发挥了重要作用。爆炸后第二天,他在公开信中写道:"尽管我们损失惨重,但这就是战争的本质。战争从未停止过,哪怕是一天。我们不会停止战斗,相反,我们将进行报复,消灭我们的傲慢的敌人。"此语充分契合了日本的民族口号——"不成功便成仁",它正是战时"国民精神总动员"的一部分。这一口号也被美国解读为日本永不投降的态度,成为其投掷原子弹的理由之一。作为对高野知事公开信的回应,广岛安保大本营在同一天成立,旨在恢复这座城市的军事功能,其首要任务是恢复通信和邮政。紧随其后,主干道、铁路、有轨电车和电气设施的重建工作迅速展开。

恢复工作进行的同时,由晓部队负责的救援工作也在展开。高野知事要求所有下属都参加伤者救援工作,并向约20万市民提供罐头食品。刚开始的四五天,他们投入了大量人力物力来清运尸体、清理主干道、恢复交通、协助安置和治疗伤员。为尽快安置伤员,广岛将原爆点附近的一片区域改造为棚户区。与此同时,距离原爆点两公里不到的东区警察局被县政府征用,成为搜救和救援行动的指挥中心。

1945年8月15日,日本宣布投降,战争结束,军队也随之被解散。广岛因此失去了重建的主力军,重建工作一度被搁置。广岛市政府在爆炸中几乎被夷为平地,时任市长粟屋仙吉和920多名政府职员全部遇难,爆炸第二天仅有80人按时报到。显然,当地政府已无力主导重建工作。因此,所有工作都依赖周边城镇的志愿者们提供援助,如府中、吴市,甚至山口市。没有这些外部援助,广岛市的恢复工作很可能难以为继。

然而,就在广岛深受原爆之苦时,大自然让这座城市的境况雪上加霜。自9月17日深夜至第二天,罕见的强台风"枕崎"登陆了这片伤痕累累的土地,将广岛又拖入洪灾的漩涡,城市外围的许多临时设施都被毁坏,爆炸中幸存的桥梁也被洪水冲走,重建的铁轨、道路和幸存的建筑遭到暴雨侵袭。台风造成了大约2000人死亡,有人死于山体滑坡,有人在台风中失踪。不过,这场台风将大量的残余辐射带入大海,随后广岛本土的辐射水平大幅下降。

城市严重被毁,给重建进程带来了巨大挑战。关于广岛能否被重建的问题,众人争论不休,但此时的广岛急需一个更完善的计划来恢复城市生活。9月2日,战争结束几周后,高野知事提出,要将广岛重建为一座和平城市。耐人寻味的是,这位知事不久前还提出要尽快恢复广岛在战时为国家提供军事支持的功能。

1946年1月,高野知事辞职,广岛县政府成立了重建部和广岛市重建委员会。这两个部门为广岛市的重建作出了重要贡献。1946年2月22日,就广岛的重建计划和未来发展问题,广岛县新任知事楠濑常猪邀请了历史学家佐伯好郎、作家大田洋子和广岛县吴市代理副市长高良富子等人参与圆桌讨论。作为知事,楠濑提出了短期重建和长期重建两个概念。他强调,当务之急是进行短期重建,尽快修复电车轨道、桥梁和房屋。至于长期重建,楠濑知事则希望在全球范围内听取不同意见,绘制广岛的未来蓝图。历史学家佐伯提出,与其将广岛建设成为一座大城市,倒不如遵循其自然规律。作家大田认为,广岛的首要任务是为被爆者提供适宜的居住环境。而吴市代理副市长高良则建议,在广岛的焦土之上修建一个意在促进世界和平的纪念墓地,另划一块土地来重建广岛新城。

然而早在1945年9月,广岛《中国新闻》就预见了这种消极情绪,并发表社论指出:"所有热爱这片土地的人,都不赞同那种不负责任的想法,不愿将广岛当作战争纪念馆,让此地成为永久的废墟。相反,我们应尽快开始重建工作,以坚定的决心保卫这片先人们留下的土地。"

带着将广岛重建为和平城市的强烈意愿,民众、政府官员及海外人士共提出了34项重建计划。其中,渡边繁提出的重建计划最引人注目,如修建地铁和公共设施、在河岸和居民区植树等。经过反复推敲与讨论,广岛市重建委员会最终在1946年秋正式确定了城市重建计划。考虑到在废墟上启动重建困难重重,计划中所列出的都是在当时情况下可以实现的目标。1945年11月,日本政府成立了战争破坏重建研究所,以促进二战中被摧毁或破坏城市的重建。1946年9月,《特别城市规划法》颁布,广岛位列115座遭受战争破坏的城市之一,根据该法案,广岛有资格获得援助。随后,广岛开始重建城市的基础设施——道路和公园。

第一步是道路规划，市政局和城市规划委员会于1946年9月制定了道路网规划。道路的设计借鉴了过去部分的道路系统，以战前道路网为基础，添加新的交通路线。最终形成的道路网将商业区、住宅区和工业区连接起来，其中还包括一条贯穿城市东西的著名街道，这条百米宽的道路后被命名为"和平大道"。

重建过程中的另一决策是由城市规划委员会提出并认可的公园与绿地计划，广岛应包含3个大型公园、4片绿地和40个小型公园。另外，该计划预备打造河岸绿化带，以"美化这座海滨城市"。

然而，因资金缺乏，重建项目迟迟未能推进。广岛在二战中失去了所有的收入来源，战后又面临通货膨胀，陷入严重的财政困境。除了经济困难外，人力资源的缺乏以及物资和公共土地的短缺也成为重建的"绊脚石"。与此同时，日本政府濒临破产，许多其他城市也急需重建资金。广岛原爆四年后，日本政府依然无法为这些城市提供援助。尽管广岛市多次向中央政府请愿，寻求财政支持，但一直未获回复。

一

和平之法

　　重建计划的转折点出现在 1949 年,通过民间组织与当地政府官员的不懈努力,广岛的特殊地位终于获得日本中央政府的承认。1949 年 8 月 6 日,日本政府公布了《广岛和平纪念都市建设法》,试图向国际社会宣告,广岛将重建为具有反对战争与拥护和平意义的城市。1952 年 3 月,广岛正式颁布城市重建计划。此后,和平纪念公园、广岛和平纪念资料馆、原爆死殁者慰灵碑等其他纪念设施陆续投入建设。

　　1948 年初,几个以说服日本政府将前军事用地改为民用为目标的民间组织在广岛成立。广岛市市长浜井与民间团体一道,决心致力于制定一项关于广岛地位的特别立法。对市长浜井来说,必须以"国家的名义"将广岛重建为一座国际和平城市。为了实现这一目标,他曾与秘书藤本千万太及市议会主席仁都栗司多次前往位于东京的日本国会。1949 年 1 月议会选举后,他的议案获得吉田茂领导下的执政党自由党的支持。

1949年2月，广岛市议会主席仁都栗司拜访了时任上议院议事部主任的寺光忠，两人就推进广岛重建计划应采取的行动进行磋商。出生于广岛的寺光熟悉国会议事程序及立法程序，他提议起草一部地区自治的特别法律，但也意识到要使这项法律获得通过将面临重重挑战，其中之一便是获得驻日盟军总司令部的批准。他精心起草这项法律，小心措辞，以期获得美国人的许可。寺光认为，其精髓在于："这项法律不仅可以让广岛从战争的破坏中复苏，还可以推进'持久和平'的理念，这是所有人的心愿。中央政府将支持建设'和平之城'，广岛民众也将为此而努力。"

在某种程度上，寺光将广岛重建为"和平纪念城市"的意图源于广岛迫切需要得到国家政府的承认，以获得资金来继续他们的重建计划。另外，广岛市市长滨井为赢得盟军总司令部的批准付出了巨大努力，他在信中写道："1945年8月6日，广岛市获得重生。"这种将广岛作为一座重生的"和平之城"的说法得到了当地美国指挥官的鼓励，他们支持"将广岛重建为国际和平的象征"这一设想。1946年5月初，滨井市长向麦克阿瑟将军领导的盟军总司令部发出请求，希望美军为广岛市重建规划委员会提供一名顾问。当时驻守吴市基地的中尉约翰·D.蒙哥马利中尉毛遂自荐，揽下了这项任务。最终，蒙哥马利成为向位于东京的美军和日本当局传达广岛重建请求的使者。尽管美日双方的合作并不多，但在1946年6月，蒙哥马利还是提出了将广岛作为国际和平的象征，并在原爆点遗址修建博物馆和纪念塔的建议。然而，此举并非为了纪念和平，而是为了纪念美国在此投下第一枚原子弹终结了二战，使和平成为可能。

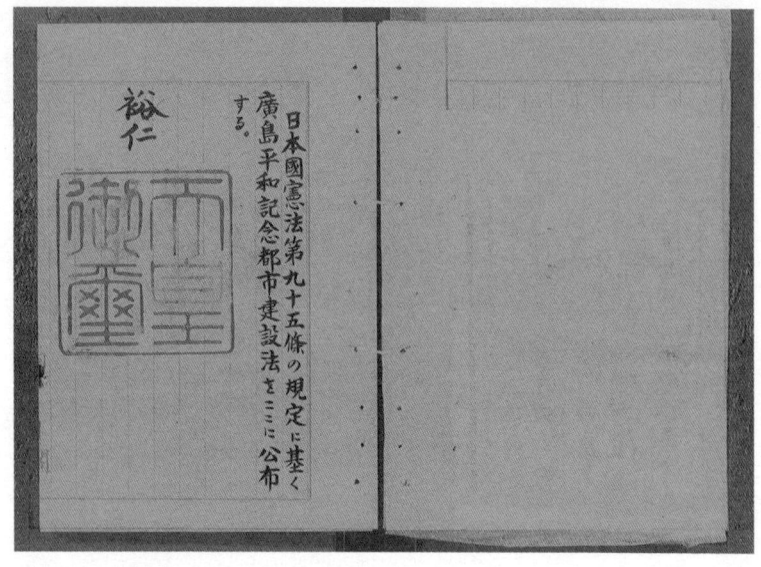

图 4-1 《广岛和平纪念都市建设法》的首页

为回应世界各地将广岛重建为"和平之城"的希冀,以及借此缓解广岛市民的反美情绪,盟军总司令部政治部最高指挥官贾斯汀·威廉姆斯批准了这项新法案。经过中央政府与盟军总司令部的漫长谈判后,日本国会最终在 1949 年 5 月颁布了这项新法律,规定将广岛重建为一座"和平纪念城市"。这项法律于 1949 年 5 月 10 日在下院通过,次日在上院通过,市政公投批准了这项新法律并随即生效[图 4-1]。

1949年8月6日,即广岛原爆发生四周年之际,《广岛和平纪念都市建设法》作为日本宪法第95条规定的特别法律正式颁布实施[图4-2]。正如该法律第一条所述,它的主要目标是将广岛建设成"和平纪念城市",而非像日本其他遭受战争破坏的城市那样简单地加以重建。这部法律赋予广岛"和平城市"的特殊身份,极大地改变了外界对广岛的印象——从一座痛苦的毁灭之城转变为祈愿和平的"和平之城"。这也反映了占日美军和日本政府的共同利益,美军希望消除其使用原子弹造成广岛惨状的普遍印象,而日本政府想借此否认原爆与日本发动侵略战争的因果关系。广岛的和平故事绝不是简单的"重生",更像是对广岛及亚洲邻国战时创伤的刻意遗忘。

图4-2 纪念《广岛和平纪念都市建设法》而发行的邮票,1949年8月6日

除了象征意义外,该法律的颁布还为广岛市的迅速全面重建和发展作出了巨大贡献。该法律将广岛的重建作为一个国家级项目,敦促日本政府提供更多的财政援助和补贴。除日本中央政府外,该法律还要求地方政府和其他相关部门为重建工作提供一切可能的援助。不过重建的主要责任方和实际执行者仍在地方,因为所有工程的实施都由市长负责。这项法律强调了政府与市民间的密切合作,并将所有最终决定权交予广岛市政当局,尤其是市长。

最重要的是,该法律为制订《和平纪念城建设计划》奠定了重要基础。1952年3月,该计划正式通过,取代了1946年的计划,并批准了两项设施建设提案:一是重点建设交通、卫生、安全、经济等城市公共设施,如规划了大部分公共空间的绿化翻新,以满足战后城市发展中市民的心理需求;二是建设各类适合和平纪念城市的文化设施,如和平纪念公园、原爆死殁者慰灵碑、和平纪念资料馆等。

二

和平建筑

广岛和平纪念公园

1949年《广岛和平纪念都市建设法》颁布后，建造"和平纪念设施"的特别项目也得以批准。广岛市作出决定，要让整个中岛区成为"和平纪念设施"的所在地。中岛区曾是广岛最繁华的地段，在原爆中瞬间化为灰烬[图4-3]。此处离原爆点最近，成为建设和平纪念场所的首选之地。其中最重要的项目之一便是建设广岛和平纪念公园。

1949年5月，《建筑杂志》刊登了开展和平纪念公园设计的竞赛，为了"响应世界范围内建立具有象征意义的和平城市的运动"，要求所设计的园区包括和平祈念馆、会议室、展厅、钟楼、办公室等设施，除规定公园整体需与周围环境融为一体外，未指定任何设计风格。这次比赛共收到参赛作品132件，于当年7月进行了评审。其中，日本著名建筑师丹下健三的设计作品脱颖而出，获得一等奖。

图 4-3　中岛区在 1945 年 8 月 6 日原子弹爆炸前后的模型

1946年秋的竞赛前夕,战争破坏复原委员会邀请时任东京大学助理教授的丹下健三前往广岛,参与核爆污染区域的志愿工作。丹下健三在对广岛进行了实地考察后发现,虽然原子弹几乎将这座城市夷为平地,但仍有几座建筑残存,如原爆圆顶馆等。于是,他建议在遗存建筑相对集中的中心区建设和平公园。丹下曾在这里上过中学,他的母亲在广岛原爆那天在今治被燃烧弹炸死,因此他对广岛有着特殊的情感,不顾现场残留的辐射,全身心投入重建工作。

根据丹下健三的设计方案,1955年,这片废墟上兴建起了一座和平纪念公园。和平纪念公园以百米宽的和平大道为东西轴线,以广岛和平纪念资料馆与原爆死殁者慰灵碑为南北轴线,二者垂直交汇,指向四个基本方向,可解读为广岛试图通过各个方向向全世界传达和平的讯息。丹下本人是天主教徒,有人认为这种垂直结构象征着基督教中的十字架,也有人认为它与严岛神社的结构类似。蕴含这样的宗教意义,这一垂直结构也被解释为一座宗教纪念碑,以纪念死去的灵魂并保护城市未来免受破坏[图4-4]。

然而,由政府主导的重建工作进展并不顺利,因为它忽视了平民的痛苦。施工即将开始时,工地上约有400个非法棚户。县办事处负责约120个棚户的清理工作,而市办事处则负责约280个棚户的清理工作。建设过程中,很多遇难者的遗骸被暴露在外,一些幸存者当时还居住在棚屋里。中泽启治在《广岛的空白》中回忆:"棚屋是我们唯一的家园,有了它,我们才能勉强维持生计。现在却要将这些棚屋

图 4-4 广岛和平纪念公园，2008 年 9 月 20 日

全部推倒，这个消息令所有人都气得发抖。用'和平'这种漂亮话当挡箭牌，迂腐的政府再次伤害了我们这些原爆幸存者的感情。'和平城市'！在我看来，真是莫大的讽刺！"

就这样，平民的利益被迫牺牲，屈服于和平公园的建造，公园完工于 20 世纪 50 年代。总体而言，广岛和平纪念公园占地约 122100 平方米，一条百米宽的和平大道穿过市中心，沿着公园的南部边界延伸[图 4-5]。公园内有许多纪念物、纪念碑、公共设施和十几棵原爆树木，它们在纪念原子弹爆炸遇难者及已逝幸存者的同时，也展示着核武器的恐怖，倡导着世界和平的理念。

图 4-5　和平大道

广岛和平纪念资料馆（広島平和記念資料館）

　　广岛和平纪念资料馆根据丹下健三的广岛和平纪念公园获奖设计建设而成。这座纪念馆是整个设计的关键，作为中心建筑，它将公园的整体结构与设计理念融为一体。为了与百米宽的和平大道和原爆圆顶馆交汇，丹下将和平纪念资料馆置于公园的中轴线上并将其设计为底层架空建筑，作为公园的入口，在此可以俯瞰主轴[图4-6]。随后，他又对初稿进行了修改设计，将其置于整个园区建筑群的中心。

图4-6　广岛和平纪念资料馆

广岛和平纪念资料馆（主楼）是一座几何式单层建筑，由钢筋混凝土框架和玻璃窗构成。矩形主体建筑底层架空，由若干支柱支撑，距地面 6.5 米，可通过地面楼梯进入资料馆内部。馆内外均使用未修整的混凝土装饰，以免分散参观者对展览本身内容的注意力。这一设计采用了典型的现代简约主义风格，同时结合了日本传统建筑的特点。

资料馆从官方、幸存者和受害者遗属等渠道收集了 21000 多件原爆受害者的遗物及相关资料，其中 200 件用于常设展览。馆内展品包括个人物件、日常用品和原爆后建筑物的残骸等。资料馆致力于向参观者展示原子弹带来的可怕后果与和平的重要性，自开放以来就一直是日本各地学校实地考察的热门地，也是广岛最吸引国际游客的景点。据广岛和平文化中心统计，从 1955 年至 2021 年，约超过 7476 万人参观了资料馆，平均每年有 110 多万游客来此参观。

截至 2019 年年中，资料馆共经历了三次翻修。1975 年第一次翻修，目的是修复老化的结构与材料，并重新设计展览内容。1994 年第二次翻修，旨在为和平教育提供更多的空间。因此，资料馆被扩展为两座楼：主楼和东楼，主楼展示受害者物品，讲述 1945 年 8 月 6 日的经历，东馆讲述原子弹爆炸前后广岛的故事以及广岛在核裁军方面的努力。

第三次是对两座大楼的翻修，工程最大，先从东楼开始，然后到主楼，从 2014 年持续到 2019 年 4 月 25 日 [图 4-7]。2017 年 4 月，东楼重新开放，展示形式增加了与观众的互

图 4-7　广岛国际会议中心（左）、广岛和平纪念资料馆主楼（中）和东楼（右）

动，更新了城市模型，使用投影地图来展示原子弹爆炸的效果。主楼在2019年4月重新开放，并对常设展品进行了更新，重点展示受害者的遗物［图4-8、图4-9］。

图4-8　原子弹爆炸时死亡儿童的衣物

图 4-9 原子弹爆炸后的瓦砾、自行车等

第三次翻修后,广岛和平纪念资料馆的展览分为六个部分,根据展览顺序分别为:"展览介绍""8月6日的广岛""受害者和幸存者""画廊""核武器的危险性""广岛历史"。在东楼,还有幸存者的视频证言角,一楼的特别展厅和负一层的临时展厅也会不定期举办与和平相关的展览。此外,资料馆还创建了一个线上和平数据库,里面可以找到与原爆有关的照片、原爆幸存者的绘画和其他艺术作品等[图4-10]。

图 4-10　得不到救治、濒临死亡的受害者（古川正一，原爆发生时他 32 岁，此图作于他 62 岁时）

纪念馆内展览的变迁见证了广岛和平叙事风格的三大转变。第一，调整了"广岛与战争"专题的展板位置，2019 年翻修前它位于第一部分"展览介绍"，而现在已被移至最后一部分"广岛历史"中。第二次翻修时，资料馆承认了日本侵略亚洲各国的史实，在展览的第一部分主要展示了广岛作为重要军事基地的形象及其市民的战时作为。值得注意的是，展览中也有提及南京大屠杀，如其中一张照片展示了广岛市民庆祝南京沦陷的情景。然而，今天所有提到广岛战时地位的内容都被转移到最后一部分。这种做法耐人寻味，因为参观者很有可能会因为前五部分耗时过多,加上时间与耐力有限等因素无暇顾及或忽略第六部分的内容。2020年1月,陆德婷博士在参观资料馆时发现,在最后一部分的展板前只有寥寥无几的参观者。

第二,关于原爆幸存者的展览,增加了非日本籍幸存者的介绍,较之前更具包容性。展览增加了被迫参加日军的朝鲜籍老人、一名马来西亚学生和一名德国牧师的照片与故事。但正如历史学者杰夫·金斯顿在他关于纪念馆翻修的评论文章中所说:"来自朝鲜半岛的强迫劳工是在广岛工作的最大的外国种族群体,但他们大规模死亡的史实仍鲜为人知。"非日本籍的这一特性,使得这些群体的历史被集中放置在纪念馆的同一个角落,但他们的故事却被遗忘且未被公开承认,资料馆并未像对待日本受害者那样尊重他们的经历。

在日本籍原爆幸存者展览中,还有一部分名为"N先生的家庭崩坏"。其中的照片由福岛菊次郎拍摄,他一直对广岛持强烈的批判态度。但资料馆还是将这些照片与佐佐木祯子的故事一起展出，用于强调原子弹带来的无尽痛苦。实际上，N先生是在被诊断出患有原子弹病后，因无法获得政府提供的医疗和福利救助而死亡。无人知晓他曾经历的不公和痛苦，这与那些为资料馆建立而被迫迁居的棚户居民的惨痛经历很是相似。但展览对这些只字不提，并且误导性地解读福岛菊次郎所拍的照片，这与福岛的初衷大相径庭，他曾在书中写道，广岛和平纪念资料馆并不想展示他的作品，因为他总是批评这座城市。

第三，第五部分"核武器的危险性"的一些展板，特别是那些描绘战争结束的展板，在某种程度上反映了修正主义的历史观。金斯顿教授评价，资料馆并没有反映日本军队的恶行，而是将原子弹爆炸前战争未能终结和苏联参战的所有责任都归咎于美国。此外，展览对战争的叙述带有明显的片面性，如其中提到日本偷袭珍珠港而引发了太平洋战争，但却未提到日本自1931年开始的不断升级且规模更大的侵华战争，也丝毫未提及日本对亚洲其他国家和地区的侵略。

原爆圆顶馆

原爆圆顶馆是广岛和平纪念公园的主要地标，是原爆点附近仅存的建筑遗迹之一。原爆圆顶馆遭受了核武器的摧残，残存的穹顶象征着广岛发出和平的呼声，但它也曾经是日本侵略行为与经济扩张的见证，现在这些印记也随着原子弹的爆炸而消逝了。

中日甲午战争期间，日本帝国的军事大本营就设在今天的原爆圆顶馆遗址所在地，从这里调派军队前往朝鲜和中国。中日甲午战争和日俄战争带来的巨大军需，极大地促进了广岛经济的繁荣发展。1915年4月，广岛在此修建了一座展销当地物产的场馆。该场馆最初由捷克建筑师简·勒泽尔（Jan Letzel）设计，采用砖结构，使用钢筋混凝土加固，外墙用石材与砂浆修饰。这座建筑是典型的欧洲巴洛克式建筑风格，主体楼高三层，楼梯部分实际有五层，位于入口大厅中心，顶部是一个椭圆形的铜制穹顶[图4-11]。1915年8月，它正式对外开放，最初名为"广岛县物产陈列馆"，1921年更名为"广岛县立商品陈列所"，1933年11月更名为"广岛县产业奖励馆"。

图4-11 大正时期的广岛县产业奖励馆

这座现代化的建筑坐落于大型商业区，在1945年被炸毁之前的30年间，这里举办了各种各样的活动。最初，为了促进商业和文化交流，这里主要用于推广广岛县和其他县的商品。同时，它还是一座博物馆和美术馆。战争期间，这里还举办过"日本—满洲里贸易展"等专题展览。1944年，战争形势愈演愈烈，产业奖励馆成为内务省中国—四国公共工程、广岛地区木材控制公司和其他国家及市政组织以及受政府管辖协会的办公室。

1945年8月6日,原子弹在距产业奖励馆150米的上空横向爆炸。在强烈的冲击之下,这座建筑严重被毁[图4-12]。刹那间,30多条生命逝去,圆顶部分的铁质框架却屹立不倒,其代表性的外观和名称也就留存至今。1953年,广岛县政府将此地管辖权移交至广岛市政府。然而,彼时如何将广岛的悲剧历史与战后的新生相融合,却让城市规划者陷入两难。一部分人倾向于清除这场悲剧留下的所有痕迹,而另一部分人则坚持保留展示原子弹巨大破坏力的证据。一时间,原爆圆顶馆成为这场争论的焦点。

　　1950—1964年,广岛和平纪念公园在原爆圆顶馆周围建立。1966年7月11日,广岛市议会通过了一项关于永久保存原爆圆顶馆的决议,声称"保存圆顶馆是我们的职责之一,不仅是为了纪念那些在爆炸中丧生的人,也是为了世界和平的希望"。于是,这片废墟被正式命名为"广岛和平纪念碑",而筹集保护遗址资金的工作也在日本国内外积极展开。在民间团体的努力下,原爆圆顶馆的保护工作于1967年完成,呈现出来的样貌与爆炸后的废墟相差无几[图4-13]。1989年10月和1990年3月,原爆圆顶馆分别进行了两次小规模的加固。

图4-12　广岛县产业奖励馆废墟,1945年10月

图 4-13 从元安河一侧看原爆圆顶馆

1992年6月,日本签署了《世界遗产公约》,广岛市民进一步呼吁将该遗址列为世界文化遗产。在广岛市议会的支持下,这场运动演变为一场全民性运动。1993年1月,广岛市市长正式提出要将原爆圆顶馆列入《世界遗产名录》。6月,促进原爆圆顶馆列入世界文化遗产的委员会成立,并得到民间团体的大力支持。该委员会随后在全国范围内发起了签名活动,收集了超过165万人的签名,支持将原爆圆顶馆列入世界文化遗产。1996年,民间团体和地方政府的努力得到了回报,1945年8月6日造就的原爆圆顶馆成功入选世界文化遗产名录,成为全人类共同的和平文化遗产。

原爆死殁者慰灵碑

原爆死殁者慰灵碑矗立在纪念公园中心，与原爆圆顶馆相对 [图 4-14]。慰灵碑的正式名称为"广岛和平城市纪念碑"。这座拱形建筑中刻着所有原子弹遇难者的姓名，1952 年由丹下健三设计。作为首批建于空地上的纪念碑之一，慰灵碑于 1952 年 8 月 6 日在和平纪念仪式上揭幕。然而，由于第一座纪念碑为钢筋混凝土结构，历经 32 年的风吹日晒后损毁严重。1984 年 6 月，新的纪念碑开始改建施工，并于 1985 年 3 月 26 日竣工。这座纪念碑材质为日本特产的灰色"稻田石"，并保持了原来的尺寸和形状。

走近慰灵碑，透过空隙可以看到远处的原爆圆顶馆。二者遥相呼应，展现了原爆给广岛及其人民带来的灾难与痛苦。慰灵碑外形犹如古代日式土屋，寓意为遇难者的灵魂遮风挡雨，它的设计灵感源自原子弹爆炸后的那场黑雨，黑雨持续数日，导致许多人遭受高强度辐射。同时，慰灵碑又像是一只眼睛，一面注视着原爆圆顶馆，仿佛是遇难者在天空中注视着自己的后代；另一面则凝望着广岛及全世界，见证为促进和平所做的努力。

慰灵碑正下方是一个石室，里面存放着所有原爆已故受害者的名单，不分国籍。通过申请程序，受害者的亲属可将受害者的名字加入登记册。目前石室内共有 123 卷受害者名单，截至 2022 年 8 月 6 日，确认死亡人数总计为 333907 名。其中 121 卷载有广岛原爆受害者的姓名和死亡日期。另一卷记载了 13 名长崎原爆已故受害者的姓名，他们的家人要求将逝者的姓名列入广岛纪念碑的登记册。而最后一卷则是爆炸中身份不详的遇难者，上面写着"许多不为人知的逝者"。

图 4-14 原爆死殁者慰灵碑

石室前方的纪念碑刻着日文碑文："安らかに眠って下さい 過ちは繰り返しませぬから。"（让这里的所有灵魂安息，因为我们不会重蹈覆辙）碑文由广岛大学的杂贺忠义教授执笔，作为原爆幸存者，杂贺教授对原子弹爆炸的恐惧和仇恨不亚于其他幸存者，但他也对自己在战争期间鼓励学生上战场而深感后悔。他想表达出这样的观点：包括日本人在内的所有人类，都必须发誓绝不重复战争的罪恶；是"我们"人类使悲剧发生，也是"我们"必须对持久和平作出承诺。杂贺教授认为，碑文应站在全人类的立场，从过去、现在和未来的角度表达广岛市民的感情，向全世界发出和平的信息。

　　纪念碑立起之后，围绕碑文的争议便相继而起。为澄清碑文中包含的信息，杂贺教授给广岛市政府写了一封信："广岛人不会沉浸在过去的记忆中。相反，我们渴望光明的未来，并试图寻求真正的和平……如果广岛的努力能照亮未来，那么受害者作出的牺牲就没有白费。"不同国籍的原子弹受害者成为人类走向和平的基石，"消除核武器"不应仅是受害者的愿望，而应是全世界所有人的愿望。然而，这一解释再次透露了日本以和平之名试图掩盖战争罪行的企图，因此亚洲人民难以接受。

韩国人原爆牺牲者慰灵碑

  目前生活在日本但祖籍为朝鲜半岛的群体,对上述碑文尤为抵触。明治以来,日本直接或间接地对朝鲜半岛进行殖民统治。二战期间,在祖国被日本强占后,大量朝鲜人迫于日本军部和政府的命令,不得不前往日本服劳役或兵役,以弥补日本国内的人力短缺。战争接近尾声时,约有300万朝鲜人生活在日本。其中,约10万人被派往广岛市,一部分被迫成为日本帝国军队的士兵和民工,另一部分则被当地政府招募为工业劳工。

  这一特殊群体在日本饱受种族歧视,甚至死后也未受到应有的尊重。记者兼和平主义者石牟礼道子写道:"原爆后,朝鲜人的尸体是最后一批被处理的。许多日本人活了下来,但只有极少的朝鲜人幸免于难……许多乌鸦从天而降,啄食那些死去的朝鲜人的眼球——它们吞噬了那些眼球。"根据韩国人原爆牺牲者慰灵碑上的铭文,约有2万名朝鲜人在广岛原子弹爆炸中丧生。也有人认为,原爆遇难者中,约有十分之一是在日朝鲜人(约3万人)。

  韩国人原爆牺牲者慰灵碑旨在纪念原爆中丧生与幸存的朝鲜人,碑身上饰以朝鲜民族纹样。纪念碑由一个在日本的朝鲜裔市民团体(现为在日本大韩民国民团)于1970年4月10日建立。这座5米高的纪念碑下方为龟形底座,上面刻有"亡灵骑在龟背上升天"的铭文。纪念碑主体上则刻着"韩国人原爆牺牲者慰灵碑:李鍝公殿下(朝鲜皇室成员,战时在日本军队任职)外二万余灵位"。方尖碑的顶部是一个雕刻着两条龙的王冠,王冠内存放着死难者的名单[图 4-15]。

图 4-15　和平纪念公园内的韩国人原爆牺牲者慰灵碑

但在广岛，种族歧视仍未停止。最初，因广岛市政府拒绝将纪念碑放置在和平纪念公园内，纪念碑只能竖立在发现李鍝亲王遗体的相生桥附近。随即，对纪念碑位置的批评愈演愈烈，其中最为严重的指责此举是对朝鲜裔种族歧视的直接表现。为此，市政府曾提议为所有朝鲜籍的原爆牺牲者单独建造一座纪念碑，但终因有关各方之间的分歧而搁置。最终，1998年12月24日，在1994年广岛和平纪念资料馆翻修并承认日本侵略亚洲的史实后，广岛市与相关方达成一致，将纪念碑迁入和平纪念公园。由于相关民间团体的不懈努力，纪念碑如今得以矗立在和平纪念公园内。

原爆之子像

原爆之子像源于一个带着希望与憧憬的故事,主人公是佐佐木祯子与一千只纸鹤。1945年"小男孩"坠落广岛时,祯子只有两岁,她的家距原爆点仅1.7公里。强烈的冲击波将她震出窗外,当母亲找到她时,祯子还活着,身上没有任何明显的伤口。为了逃离爆炸后的大火,母亲带着她逃往城外,途中遭遇黑雨。几年后,她被诊断为白血病(后被认为是"原子弹病"),医生认为她只余下不超过一年的时间。在医生的强烈建议下,她开始在广岛红十字会医院接受住院治疗。

为此祯子不得不退学,她在学校时很受欢迎,还作为接力队员积极参加运动会。这一突如其来的变化不仅对祯子的家人,而且对同学来说都是一个巨大的打击。他们每天轮流去医院看望祯子。住院期间,祯子大部分时间都在折纸鹤,因为在日本有一个古老的传说,一年之内折出一千只纸鹤的人可以实现一个愿望[图4-16]。不幸的是,祯子想活下去的愿望并没有实现,她最终于1955年10月25日死于白血病。

图4-16 寄托愿望的纸鹤

佐佐木祯子离世的噩耗促使她的朋友和同学站出来为和平发声，他们决定建一座纪念碑来铭记祯子和其他在原爆中丧生的儿童。通过一个儿童基金募集运动，他们的呼声传遍了日本各地，并收到了3200多个学校的捐款，其中还有来自海外的捐助。在纪念碑的正下方，有一块黑色的花岗岩石板，上面刻着一名初中生写下的心声："これはぼくらの叫びです。これはわたしたちの祈りです。世界に平和をきずくための。"（这是我们的呐喊。这是我们的祈祷。为了建设世界和平）[图4-17]

图4-17 原爆之子像底座石板上的铭文

图 4-18　原爆之子像

　　这座高 9 米的纪念碑由日本本土艺术家菊池一雄和池边阳设计，于 1958 年 5 月 5 日日本儿童节揭幕。以佐佐木祯子为原型的铜像矗立在纪念碑的最顶端，她双臂高举在空中，托着一只金色的纸鹤，祈求世界和平 [图 4-18]。纪念碑的侧面还有一对少男少女的雕像。纪念碑的建立让祯子的事迹广为流传，并于 1989 年拍成了电影，名叫《千羽鹤》(千羽づる)。不仅如此，她的故事还吸引了日本和世界其他国家的孩子寄来纸鹤，以祭奠坚强的祯子和广岛原子弹爆炸中数以千计的遇难儿童。如今，纸鹤被赋予和平的象征意义，每年约有 1000 万只纸鹤被献给原爆之子像。

1947年起,每年的8月6日上午8点15分(当年原子弹投向广岛的时刻),原爆之子像下的和平之钟都要被敲响,以此悼念原爆受害者。和平之钟下悬挂着一只铜鹤,每当铜鹤撞击钟壁,便会产生风铃般清脆的声响[图4-19],这两件物品由诺贝尔物理学奖得主汤川秀树博士捐赠。

图4-19 原爆之子像下的和平之钟与铜鹤

三

和平仪式

这些和平纪念建筑落成后，每年的原爆纪念日（8月6日），日本都会在慰灵碑前举行和平纪念仪式。约5万名当地居民和访客，包括原爆受害者的家人和来自70多个国家的大使、政要齐聚广岛，哀悼原爆中的死难者和后来逝去的幸存者，并呼吁废除核武器，实现世界和平。

1947年起，广岛几乎每年都会举行和平纪念仪式（1950年因朝鲜战争爆发，美国不允许而未举行）。日本首相、广岛市市长和其他重要人物在仪式上发表演讲，祈愿和平。人们敲响和平之钟，全城拉响警报，民众为原爆中消逝的生命默哀1分钟，为持久的世界和平祈祷。仪式从8点整开始，于8点50分结束。

实际上，和平纪念仪式是和平祭典的一部分。和平祭典可追溯至广岛原子弹爆炸一周年，即1946年。广岛县政府在爆炸发生几周后宣布，"在靠近原爆点的地方划定一块足够大的区域，作为纪念场所"，但原爆幸存者并不支持这种想法，他们不愿再等上十年的时间直到政府选定的地点竣工。因此，原爆一周年之时，市民在当地的护国神社为逝者默哀，他们将这一活动称为"和平复兴祭典"。

这一纪念活动引起了国际社会的广泛关注,因此,广岛市市长认为,需要举办一场全面的和平祭典来加强国际社会对广岛的认知,以便将该市重建为一座国际化的和平城市。于是,1947年8月5日至7日,广岛市举办了第一届广岛和平祭,并希望将其发展为一项全球性活动,在日本国内外广泛宣传广岛呼吁建立一个无核武器世界的愿望[图4-20]。

图4-20 1952年8月6日,广岛和平祭期间,人们聚集在原爆死殁者慰灵碑前

1947年8月6日,第一次正式的和平纪念仪式在后来成为广岛和平纪念公园的地点举行,时任广岛市市长浜井信三发表了讲话,这一讲话后来被称为"和平宣言"。浜井市长在宣言中指出:"这场可怕的灾难带给我们的是一场'思想革命',让我们意识到永久和平的必要性和珍贵。也就是说,正是这枚原子弹,让全世界人民意识到,一场使用原子能的全球性战争将导致我们的文明走向终结,人类走向灭绝……让我们永远都对战争说'不',规划世界和平的蓝图。"[图4-21]

图 4-21 浜井信三发表"和平宣言"

1947年以来，历任广岛市市长均会在8月6日的和平纪念仪式上发表"和平宣言"，表达广岛废除核武器和维护世界和平的愿望。至2022年，该宣言内容涵盖了一系列与和平有关的事项，包括反对以武力实现和平、全面禁止原子弹和氢弹、传播原爆经历的重要性等。然而，在历任市长发表的演讲中，却无人指出正是美国在广岛上空投下了原子弹。20世纪80年代以来，该宣言中还频繁出现日本是"唯一的原子弹爆炸受害国"的说法，引发颇多争议。

　　宣言的内容每年都会与时俱进地加以调整。首届禁止原子弹和氢弹世界大会于1955年召开后，1956年时任广岛市市长渡边忠雄的宣言中就出现了"禁止原子弹和氢弹"的内容。二战结束26年后（1971年），时任市长山田节男在宣言中强调了开展和平教育的必要性，认为只有通过教育才能将战争与和平的意义传递给子孙后代。1982年，时任市长荒木武在宣言中呼吁全球所有城市支持同年6月第二届联合国特别会议上的裁军提案。

值得一提的是，平冈敬是有史以来第一位公开向亚太地区人民表达歉意的广岛市市长。1991年，太平洋战争爆发50周年之际，时任市长平冈敬发表讲话："日本在战争殖民统治时期给亚太地区各国人民带来了痛苦和绝望。对此，我们没有任何理由逃避。"1995年，二战结束50周年之际，他在"和平宣言"中强调了从加害者和受害者的角度全面了解历史的重要性，因为"只有如此才能形成对历史的共识。所有战争受难者的苦难都铭刻在我们心中，我们要为日本的殖民统治和战争给这么多人带来的苦难表示歉意"。1997年，他在"和平宣言"中进一步强调跨越语言、宗教和习俗的差异与全世界人民展开真挚对话的重要性。

除了和平仪式外，8月6日晚上，广岛和平纪念公园周围还会举行"和平寄语放河灯仪式"。今天的广岛和平纪念公园所在地曾是民众工作与生活的市中心。原子弹爆炸时，有些人虽未在爆炸半径内当场遇难，但却被热浪严重灼伤。他们痛苦难耐，试图跳进河中来缓解烧伤带来的疼痛，求得解脱，然而，大部分人却因此葬身河中。所以，从1948年开始，一些市民在这条河中放河灯，以此慰藉在这条河中死去的亲朋的灵魂[图4-22]。

图 4-22　广岛的和平寄语放河灯仪式

　　就这样，这座曾被摧毁的城市被重建为今日的"和平之城"。在此过程中，当地政府和幸存者克服了重重困难。广岛在战后构建和平城市的思路与经验，可为其他努力创建和平形象的城市提供历史启示。然而，广岛建设和平城市的理念，是基于民众对战争的历史记忆，特别是对原子弹伤害的记忆。如果广岛仅从受害者的角度来叙述历史，而忽视加害者的视角，忽视战争性质与责任问题，这种和平构建与运动就缺乏全面客观性，所以广岛的和平话语也引发了巨大的争议。

第五章
重新审视广岛

一

和平教育与和平研究

从日本投降直至1952年,日本一直处于驻日盟军总司令部的控制之下,其最初目标是解除日本的军事化,并实现民主化。这场改革的核心是1946年制定的新宪法,其前言中强调,"日本国民期望永久的和平,深知支配人类相互关系的崇高理想,信赖爱好和平的各国人民的公正与信义,决心保持我们的安全与生存。我们希望在努力维护和平,从地球上永久消灭专制与隶属、压迫与褊狭的国际社会中占有光荣的地位。我们确认,全世界人民都具有免除恐怖和贫乏并在和平中生存的平等权利"。这部宪法奠定了日本和平与民主的基础。

为实现战后日本重建与政治民主化，驻日盟军总司令部决定对日本进行教育改革，这也是其改造战略的主要组成部分。1946年1月，盟军总司令部发布《关于教育根本改革的备忘录》，提出了改革日本教育的具体意见和实施要点，包括宗教（尤其是神道教）与教育分离、教育权移交地方政府、实施九年制义务教育等。1947年3月，日本政府发布了《日本教育基本法》。该法主要遵循了新宪法中教育条款的基本目标和原则，具体规定了教育在建设和平社会中的作用。该法第一条明确了教育的宗旨："教育应当以人格的全面发展为目标，努力培养身心健康的公民，他们应热爱真理正义、尊重个人价值、尊重劳动、具有强烈责任感、具有独立精神，成为和平国家和社会的建设者。"

驻日盟军总司令部的公民信息和教育科（CIE）首先取消了那些灌输极端民族主义思想的历史、地理和道德课程。他们使用了涂墨法，将学习材料中有关民族主义、军国主义、专制主义及反美的内容全部涂黑[图5-1]。涂墨法一直是教育改革至关重要的一部分，直到日本教育省（MEXT，今文部科学省）发行了新教科书才得以终止。新的教科书着重谴责军国主义与极端民族主义，鼓励民主的思维方式。

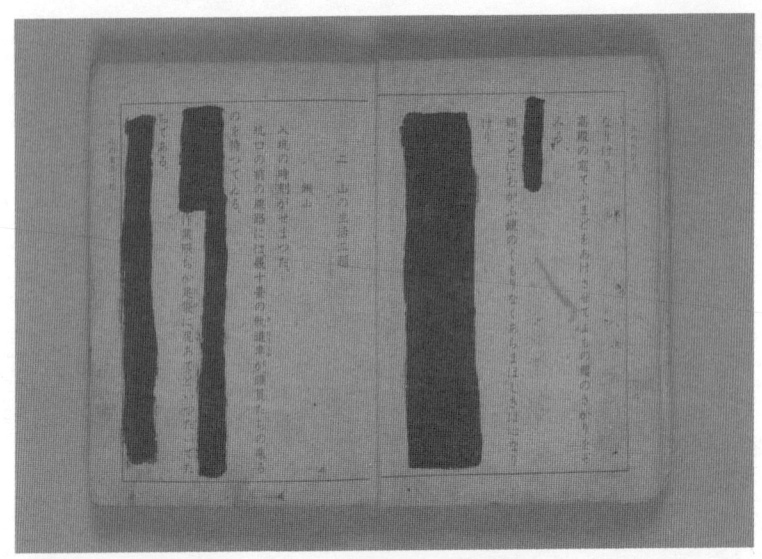

图 5-1 涂黑的教材,1943 年 8 月

在推动新教育改革过程中，日本教育工会（JTU）发挥了至关重要的作用。它成立于1947年，是日本最大的教职员工会组织，长期对保守派持批评立场。1950年朝鲜战争爆发时，日本教育工会首先提出"我们决不让学生再被送上战场"的口号，使"反战"一度成为和平教育的核心和焦点。在美国占领期间，日本的历史教科书以及各类和平民主的宣传内容都主要集中于谴责日本军国主义领导人——是他们迫使日本人民卷入一场不计后果的战争中，最终给日本及亚洲他国人民都带来苦难，对于这场战争及其苦果，日本人民只能归咎于自己。

然而，日本保守派人士辩称，这会导致日本的年轻一代变得缺乏"爱国热忱"，失去身为一个日本人的根本。1952年以来，日本保守派势力一再尝试重新获得对历史与社会学科教科书的控制权。为了给年轻一代树立一个"积极"的国家形象，他们修改了教科书，粉饰日本的战时侵略，并重点体现日本自己的受难——广岛和长崎的原子弹爆炸。

随着美国占领的结束，审查制度放松，广岛和长崎原爆造成的后果逐渐公之于世。1954年的"第五福龙丸事件"激起了全国性的反核运动，媒体也随着这波反核热潮进一步强化了日本遭受核灾难的报道。自此，广岛和长崎的原爆被视为日本"国难"。许多教科书开始将广岛和长崎的原爆描述为独特的经历，赋予日本人"在世界范围内消除核武器"的特殊和平使命。

广岛和平教育概况

在此背景下,广岛市教育委员会于 1968 年向小学、初中和高中第一次发布了和平教育教学的官方指导方针。广岛和平教育的重点主要集中在原子弹爆炸的受害上。广岛县原爆幸存者教师协会于 1969 年成立,为日本乃至世界各地的年轻一代讲述原子弹幸存者的经历,促进和平教育。

二战结束至 20 世纪 70 年代,日本社会中不乏和平主义思潮,但日本积极参与并支持美国在朝鲜战争和越南战争中的行动,派自卫队参与海湾战争的行动,这些都与其和平宪法的精神日益相悖,也进一步敦促教师团结起来,推动和平教育。1971 年,在日本教育工会的支持下,日本原爆幸存者教师协会(原爆幸存者教师协会全国联络委员会)成立。1972 年,广岛和平教育研究所成立,进行和平教育的理论和实践研究,包括和平教育课程体系的研究。

根据广岛市教育委员会的规划,目前广岛市小学、初中和高中和平教育的框架如下:

- 小学(一至三年级):了解原子弹爆炸的实际情况、生命的价值以及对全人类的爱(图画书)。
- 小学(四至六年级):了解原子弹爆炸的实际情况和广岛重建的过程(通过原爆幸存者的证词)。
- 初中:研究与世界和平有关的问题。
- 高中:培养实现世界和平的愿景。

根据不同年龄段的接受程度,和平教育的内容与材料也相应不同,但其主要内容都基于原子弹爆炸。广岛和平教育框架中提到的"世界和平",也可理解为一个没有核武器的和平世界。

1973年,日本教育工会和日本原爆幸存者教师协会在广岛市举行了第一期全国和平教育研讨会,并于次年成立了日本和平教育研究委员会。从此,和平教育被纳入日本国家课程,不仅是一门单独的课程,而且被融入不同的学科中,如社会科学和日本文学等。1976年,一项政府鼓励学校带学生前往原爆地点访问的决议通过后,前往广岛和长崎旅行的学校数量大增。广岛,这个战前的教育中心,如今又成为日本和平教育的"模范"。

鉴于原爆幸存者逐渐老去,2004年《原爆经历的真实遗产》一书出版,其中收集了这些幸存者的证词,并作为和平教育的材料分发给广岛所有学校。随后,"原爆幸存者的声音""少年儿童和平峰会"等活动陆续开展,学生能与幸存者同聚一堂,聆听他们的讲述。最近,"和平承诺"和"和平教育档案"等新项目也纷纷启动。对于高中生,这座城市为他们提供了更多机会,如派学生参加《核不扩散条约》审查大会及其筹备委员会,以扩展他们对国际和平事务的认知,从而培养他们在建设和平与维持和平方面的能力。

总体而言,随着广岛和平教育的发展,日本和平教育的重点逐渐从"反战"转移到"反核武器"。日本的和平教育普遍倾向于强调消极和平,强调建立一个没有暴力的世界。随着全球化的发展,有关多元文化交流、人权教育和环境保护等推动积极和平的内容也逐渐被纳入教育纲领。然而,日本的和平教育在很大程度上偏重知识的传播。有报道指出,许多日本学生有意为和平作出贡献,但却缺乏将理论付诸实践的相关技能。

广岛和平教育的其他倡议

日本不仅在国内，还在国际上努力推广广岛的和平教育。2001年的"和平宣言"提出了在世界主流大学内设立广岛—长崎和平研究课程的设想，广岛和长崎市政府与广岛和平文化基金会一起，长期鼓励大学开设该课程。截至2022年7月，该课程已在76所大学开设，其中52所在日本国内，24所在国外。该课程的重点是通过探索原子弹爆炸的史实与分享幸存者的被爆经历来教育后代，使其了解核武器不人道、不道德的本质。

除了将和平研究课程引入大学外，为更全面推广废核理念，广岛市自1995年以来在日本国内外开设了原爆展览。展览主要由文物、展板与幸存者证言组成。广岛市政府与广岛和平纪念资料馆、国立广岛原子弹死难者追悼和平祈念馆展开合作，通过聆听原爆幸存者证言或观看原爆纪录片等形式向参观者提供和平教育。针对日益增长的游客数量，广岛将和平教育融入其旅游业，并创建了一个名为"广岛和平旅游"的在线平台，向世界推广广岛的和平理念。

为呼吁全球核裁军作出贡献的还有那些积极的民间社会组织。以"和平之船（Peace Boat）"为例，这是一个总部设在日本的国际非政府组织，成立于1983年，主旨为促进和平。"和平之船"的主要活动是通过一艘环游世界的游轮进行的，在船上和港口开展活动，倡导体验式学习和跨文化交流[图5-2]。作为国际废除核武器运动（ICAN）国际指导小组的11个组织之一，该组织多年来一直倡导无核世界，并为所有的幸存者提供支持。

图 5-2 "和平之船"

2008 年以来，"和平之船"邀请了广岛与长崎原爆的幸存者进行全球航行，参与"和平之船"原子弹爆炸项目，与世界各地的人们分享他们的经历、讨论核武器的反人道主义等。截至 2019 年，已有 170 多名幸存者周游了世界，就原爆的影响亲身做证，并在 60 多个国家的约 100 座城市呼吁废除核武器。这些证词触动了世界各地的民众，使其关注核武器造成的灾难性后果，成为根据国际人道主义法禁止核武器运动的基础。在全球新冠肺炎疫情期间，"和平之船"改以线上会议的形式继续推进原爆幸存者项目，呼吁消除核武器。

广岛高等教育中的和平研究

和平教育的发展与和平学的发展密不可分。和平学是二战后诞生的一门新学科,具有跨学科的性质,包括和平研究、和平教育与和平活动三大部分,其宗旨是实现一个更加公正与和平的世界,重点是探究如何用和平方式实现和平。著名的和平学学者约翰·加尔通强调,和平研究、和平教育与和平活动是紧密关联的,三者共同构成了一个彼此融合的整体。

20世纪60年代,和平学在学术领域逐步发展成熟,扩展至欧洲、美洲、亚洲和非洲的许多高校和研究机构,各种和平学研究中心纷纷成立,并形成了包括文献、学术群体、课程体系和教学形式等完整的学科体系。20世纪60年代末到70年代中期,日本也出现了类似的发展趋势。1966年,日本和平研究小组成立,促进了和平研究的制度化,并于1973年成立了日本和平学会(PSAJ)。此后,该学会在鼓励和发展日本和平学方面发挥了主导作用。

顺应这一趋势,1975年7月,日本建立了第一个专注于广岛原爆的和平学学术研究机构。最初,它被命名为"广岛大学和平科学研究所"(IPSHU),以研究和平学与收集相关资料为目的。2018年4月,该研究所更名为"广岛大学和平中心"(CPHU),在进行和平学的相关研究与资料收集的同时,将研究成果应用到教育领域,从而推动和平教育工作[图5-3]。

图 5-3 广岛大学和平中心

关于和平研究,广岛大学和平中心专注于两个主题:"广岛和平研究(关于消极和平的研究)"与"全球和平研究(关于积极和平的研究)"。"广岛和平研究"涉及原子弹爆炸的后果、核裁军和废除核武器等主题,而"全球和平研究"则着重关注和平建设、人权问题、结构和环境暴力等。为鼓励国内外和平学研究机构与研究人员之间的交流,广岛大学和平中心举办并推动了联合研究项目、年度国际研讨会等。如1980年,该中心每月或每两个月会与联合国大学(UNU)举办两次以和平与发展为主题的研讨会。

在研讨会结束后，广岛大学和平中心会将研讨成果与论文有选择地以研究报告或时事通讯的形式发表。该中心也创办了《广岛和平科学》年刊。为收集并建立一个关于和平研究和核灾难的全面数据库，广岛大学和平中心还创建了自己的图书馆，馆藏约10000本学术图书和60多种和平研究领域的学术期刊。

1998年4月，广岛市成立了另一个和平学研究机构——广岛和平研究所（HPI），隶属于广岛市立大学（HCU）。与广岛大学和平中心一样，广岛和平研究所也主张消除核武器和维护生态环境，实现可持续的全球和平。它的大部分研究成果不仅通过学术出版物和会议通讯（在线或印刷）传播，还应用于本科生和研究生的课程中，推动和平教育的开展。

与广岛大学和平中心略有不同的是，广岛和平研究所更关注地方和区域社区的发展。在区域合作方面，该研究所自成立以来一直与东北亚的研究机构及葡萄牙的一家研究机构进行合作，其中在中国的两个研究机构分别为辽宁大学的日本研究所与香港城市大学的亚洲和国际研究科。

每年秋天，广岛和平研究所都会为当地社区的居民举办一系列讲座，介绍有关和平与冲突的各种社会及国际问题。每年冬天，研究所都会举办公开系列讲座，邀请国际研究人员与居民分享最新学术成果。这两个项目都在工作日的晚上开展，以方便上班族参与其中。2015年，广岛和平研究所启动了一个名为"广岛和平研讨会"的新项目，为研究生、研究员、公务员和媒体工作者开设暑期强化课程。

2019年4月，广岛市立大学成立了和平学研究生院（硕士学位项目），成为日本第一所设立和平学学位项目的国立大学。该硕士学位项目为期两年，由大约30门课程组成，主要涉及核裁军和国际关系领域。2021年4月，广岛市立大学又开设了为期三年的和平学博士学位项目，内容包括更多关于和平研究与国际关系的高级研讨会。

总而言之，广岛的和平教育与和平研究不仅有效地培养了年轻一代对和平问题的兴趣，也广泛地传播了禁止核武器的和平信息。然而，这两项内容的关注点主要源自广岛自身的原子弹受害史，这也会在一定程度上引起争议，正如其主流和平运动。

二

并不和平的"和平主义"

广岛市政府与许多民间社会组织一起，长期致力于各种和平运动与和平教育活动，以期实现一个没有核武器的世界。这些成就也有助于美化日本的国家形象，将其打造为一个文明的、热爱和平的国家。然而，关于广岛的和平叙事有三个主要问题值得更多关注：第一，日本寻求美国提供核保护伞而拒绝签署《禁止核武器条约》(TPNW)，尽管其人民，主要是广岛和长崎的人民，将不遗余力地宣传核裁军作为他们的道义责任；第二，广岛这座国际"和平之城"仍具有军事之都的潜力，今天仍被美国和日本的军事基地所包围；第三，"第五福龙丸事件"发生以来，以广岛为中心的和平运动一直把重点放在反核问题上，却避免触及日本过去发动侵略的战争责任，这在某种程度上降低了日本与亚洲邻国寻求和解的可能性。

日本的核困境

　　作为迄今为止唯一遭受过原子弹袭击的国家,日本国内战后一直存在反核武器的情绪,并在1954年"第五福龙丸事件"后达到高潮。该事件推动了日本的反核武器运动。日本和平宪法第九条虽未直接提出禁止核武器研发,但其不保持陆海空军及其他军事力量的精神是反对核武器的。基于和平宪法的精神,日本政府于1955年制定了《原子能基本法》,将核能活动仅限于和平目的,禁止制造和拥有核武器。1967年12月11日,日本根据其战后和平宪法,通过了不拥有、不生产、不允许引进核武器的"无核三原则"。1970年,日本签署了《核不扩散条约》(NPT),并于1976年批准了该条约。日本在促进国际核裁军方面也发挥了主导作用,例如在过去的27年中,参与发起联合国大会的年度决议,持续呼吁彻底消除核武器。

　　然而,随着冷战带来的国内外形势的变化,日本的核价值观出现偏移。冷战期间,日本以不生产核武器为条件,加入了美国的核保护伞。通过接受有核盟友提供的"核保护伞","无核"国家仍可参与核武竞争。虽然美国核保护伞主要是保护美国自己,但其盟国也可以从中受益。诚然,在保护伞下,日本虽然不能生产核武器,但美国可以。据美国鹦鹉螺安全与可持续发展研究所东亚核政策项目提供的历史调查资料显示,尽管日本存在无核政策和公众的反核情绪,但美国在冷战期间还是经常将核武器输入日本。

日本被迫在无视自己的核禁令和与自己最重要的盟友对抗之间作出选择，几十年来，日本政府牺牲了自己的无核政策，卷入了美国的核武器行动。2017年，日本官方坚决地拒绝签署《禁止核武器条约》，正是其对这种权力失衡关系的承诺之一。根据这一条约，签署国接受禁止开发、试验、生产、储存、转让和使用或威胁使用核武器，以及禁止协助其他国家从事被禁止的活动或从任何违反条约的行动中寻求援助。换言之，签署该条约意味着日本将不得不改变其对美国核保护伞的立场。尽管国内有无核政策，但日本显然仍选择了前者这条捷径。

另一方面，日本可以随意建造自己的核武器，扣留适当的核能基础设施和库存。根据日本原子能委员会（JAEC）公布的数据，日本的钚库存约为47.3吨（截至2017年底），其中36.7吨在海外（21.2吨在英国，15.5吨在法国），10.5吨在日本。储存在日本的10.5吨钚就足以制造大约2000枚原子弹。尽管非军事化和美国的核保护伞使日本必须执行核技术非武器化政策，但面对东北亚战略模式的转变和美国一再要求其为美国的军事行动（包括维持其核保护伞）付出更多，日本的许多保守派政治家和前军事官员正在呼吁转变这一政策。

1954年,日本政府开始资助核研究计划。为了顺利实施该计划,政府迫切需要压制民众强烈的反核情绪。在转变公众对核能的看法方面,"和平利用原子能"的口号发挥了巨大作用。1953年12月8日,为了掩饰美国核武器的逐步增长,艾森豪威尔总统在联合国发表了题为"和平利用原子能"的演讲,承诺在国内外传播和平利用原子能的好处。广岛被认为是宣传这一"和平"理念最适合的场所。1954年1月,曾参与曼哈顿计划的美国科学家伯恩·波特在广岛待了三周,调查了广岛的破坏情况,并向滨井市长提出了"和平利用原子能"的建议。美国原子能委员会专员托马斯·默里也表示同意,他宣称:"在日本建造一座核电站将是一项令人印象深刻的友爱的创举,它可以使我们所有人将广岛和长崎原爆的记忆远远抛在脑后。"

因此,广岛被认为是建立日本第一座核电站的理想城市。1955年初,一项在广岛建造一座60000千瓦发电站的法案得以通过,意在美化原子能,将其塑造为发电工具而非杀伤性武器。1955年6月,美国和日本签署了一项协议,在研究和开发原子能方面进行合作。12月,日本通过了《原子能基本法》并成立了日本原子能委员会。

由于"第五福龙丸事件"引发了强烈的反核情绪,要向日本人民推销"和平利用原子能"理念并不容易。美国大使馆、美国新闻处(USIS)和中央情报局发起了"和平利用原子能运动",并寻求日本《读卖新闻》和日本电视网的支持。最终,1955年11月,"和平利用原子能"展览成功举办,欢迎原子能回到日本。在东京展出6周后,展览前往广岛和其他6个城市,连同相关的电影、讲座和文章,取得了轰动性的反响。据报道,到1956年初,"和平利用原子能"理念逐渐被日本民众所接受。

反核武器运动的主流也不例外,更不用说广岛市。滨井市长(附加一定条件)、《中国新闻》和第二任市长渡边等逐渐认可了"和平利用原子能"的想法。大约在1956年中期,展览到达广岛,并在和平公园展出,由广岛市、广岛县、广岛大学、广岛美国文化中心(ACC)和中国新闻社共同举办,持续约3周。日本想要成为现代化的科技工业强国,但又面临能源匮乏的困境,公众说服了自己相信核电是安全和清洁的。因此,日本的核电产业在20世纪60年代和70年代蓬勃发展,此后持续增长,直到福岛核灾难发生。

2011年3月11日,日本东北部海域发生强烈地震并触发特大海啸,导致位于福岛大隈的福岛第一核电站发生最高等级放射性物质泄漏事故。这被认为是自1986年切尔诺贝利灾难以来最具破坏性的核事故。在福岛灾难发生后,公众对核辐射的恐惧再次高涨,反对核扩张的声音也迅速增多。日本,这个经历过两次原子弹爆炸和一次核灾难的国家,肯定比许多其他国家更了解核能的危险。但由于能源资源有限,日本严重依赖这种有争议的能源,且长期以来一直从中受益。这个国家陷入了两难境地,世界上许多其他国家也是如此。在发明出更清洁、安全、可靠和节约的能源之前,这种困境可能会一直存在。

保留军事城市潜力的广岛

说到军事行动,如果将目光投向和平城市的更远处,你会惊讶地发现广岛被两座军事基地——岩国基地和吴基地包围。岩国基地(又称海军陆战队岩国航空站/MCAS 岩国)距离广岛约 34 公里,是东亚地区最大的空军基地之一[图5-4]。它是一个日美联合军事基地,不仅是日本海上自卫队的基地,也是美国海军陆战队(USMC)的航空站。作为一个可执行任务的航空站,它可以在整个印度—亚洲太平洋地区的训练、战斗或应急行动中为后续的美国和盟国部队提供持续的基地运作支持。

图 5-4 岩国基地,2010 年 4 月 28 日

图 5-5　美军吴基地 6 号码头

吴基地距广岛约 20 公里[图 5-5]。2019 年，吴基地正式成为"加贺"号护卫舰的母港。"加贺"号是日本海军自二战结束以来建造的最大战舰，与它的姊妹舰"出云号"一起，被安倍政府计划用于搭载美制 F-35B 隐形战斗机[图 5-6]。日本前首相安倍晋三在任期间，曾致力于加强日本军事实力并扩大武力使用范围，竭力主张修改和平宪法，呼吁正式承认日本自卫队。"加贺"号是安倍政府在军事建设方面取得的巨大"成就"，由于时任美国总统多次批评美国盟友在军事建设上付出不足，2019 年，安倍在特朗普访问日本期间邀请其参观该军舰，并宣布购买 105 架美制 F-35 战斗机。

图 5-6　美国海军陆战队 F-35B 闪电 II 战斗机在岩国基地上进行飞行训练

除了这两座主要的军事基地，广岛市周围还有一些其他军事设施，包括日本陆上自卫队滨村训练场、陆上自卫队海田町驻地等，美军川上弹药库、美军秋月弹药库、美军广域弹药库等。如此看来，广岛这座著名的"和平城市"似乎仍然保留了不亚于战前的军事地位，上述军事设施与位于横须贺、长崎和冲绳的其他军事基地共同组成了一个庞大的备战区。

不再有下一个广岛,然后呢?

在整个以广岛为中心的和平运动中,有争议的核心问题之一是日本是否应为过去对其亚洲邻国发动的侵略战争而承担责任。和解需要正视过去,需要日本从加害者的立场思考其战争责任,但这点很少被触及。因为遭受过原子弹爆炸的伤害,所以广岛和平运动的重点一直放在反对核武器上。这种将整个国家视为战争受害者的方式最终导致了日本社会存在一种流行的观点,即"受害者"不需要承担日本军国主义对亚太地区发起侵略暴行的责任。日本历史学家和政治评论家田中利幸认为,这是"集体的受害意识导致了集体的不负责任"。

此外,最初官方的广岛和平叙事也对广岛和平运动的形成产生了巨大影响。很多和平学研究者认为,和平与过去、现在和未来息息相关。然而,广岛的和平叙事主要面向未来。驻日盟军总司令部希望将广岛遭受大规模破坏与美军投下原子弹这一事实割裂,而日本则试图否认原爆与日本侵略亚洲的因果关系。这种面向未来的和平叙事使日本陷入了一种畸形的心态,即试图把自己描绘成一个无辜的战争"受害国"。

于是，日本刻意遗忘了某些年份，如1931年和1941年，只把1945年当作其战时历史的开始。正如小田实在其著作中回忆的那样："以我为例，童年的学习生涯中几乎不涉及甲午战争和侵华战争。谈到二战时，我首先想到的是太平洋战争。日本其他人也是如此。大家对侵华没有太多概念，往往只强调自己在太平洋战争中所受的苦难，而侵华并不在其中。"

为避免提及日本在战时的侵略行为，特别是对珍珠港的突袭，广岛遭受原子弹轰炸被粉饰为意外袭击广岛的自然灾害。在此背景下，日本无法就原子弹爆炸事件寻求与美国的和解，这一点是毋庸置疑的。因为如果它当真要求赔偿，那么1941年的突袭珍珠港事件势必会被提及，而这不仅给予美国投掷原子弹的理由，而且还会破坏日本长期以来塑造的一个热爱和平的国家形象。在这方面，广岛当局也顺势而为。自1947年广岛启动"和平宣言"以来，历年的"和平宣言"中都没有明确指出是美国在广岛投下原子弹的这一事实。

而一些人则认为，美国总统奥巴马于2016年5月27日访问了广岛这座曾被摧毁的城市，可以被解读为美日和解的重要信号。作为2016年的日本头条新闻，奥巴马总统在日本首相安倍晋三的陪同下对广岛进行了历史性的访问。他们一起参观了广岛和平纪念资料馆，并向原爆死殁者慰灵碑敬献了花圈。奥巴马还发表了长达17分钟的关于倡导消除核武器的讲话，据称该讲话意义深远、掷地有声，尽管他在讲话时手里仍握有美国核武器的发射按钮。在讲话中，奥巴马将原子弹爆炸形容为天灾，并没有任何表达道歉的表示。但据报道，他的出席受到了大多数日本人的热烈欢迎，包括由政府精心挑选出来参加仪式的一小群原子弹幸存者。

事实上，他们在广岛和平纪念资料馆停留的时间不到 10 分钟，在广岛市停留的时间也不到一个半小时。相反，他们在岩国基地花了更多的时间，视察了美国海军陆战队岩国航空站。此外，在奥巴马访问前一个月，又发生了一起冲绳美军强奸事件，一名 20 岁的冲绳女子被一名驻日美军基地的工作人员强奸并杀害。冲绳再次出现了强烈的反美情绪，导致民众在奥巴马到访广岛的当天于广岛和平纪念公园附近集会游行，反对奥巴马的来访。

奥巴马总统对广岛的访问在美国也引发了争议。支持他此行的人认为，这对重申美国致力于世界和平具有重要意义；反对他此行的人则认为，访问广岛，无论有意或无意地为当年美国投掷原子弹而感到遗憾，既不必要也是错误的，因为正是日本发动了侵略战争并突袭了珍珠港，使用原子弹以尽快结束战争既是正确的也是必要的。

白宫也发表声明称，奥巴马对广岛的历史性访问不应被解读为道歉，而是为了突显其对建设无核世界的和平与安全的持续承诺。奥巴马莅临广岛可能仅是两国对削减核武器的共同承诺，而不意味着对使用原子弹的道歉。具有讽刺意味的是，同年 10 月，日本和美国都对联合国大会第一委员会通过的关于开始谈判制定《禁止核武器条约》的决议表示反对。

作为对奥巴马访问广岛的回应，同年 12 月，日本首相安倍晋三访问了珍珠港，并向日本偷袭行动的遇难者表示慰问。这一行程得到了奥巴马总统的赞扬，他称安倍首相的访问是一个"历史性的姿态"，显示了和解的力量。但事实上，安倍并没有对日本在 1941 年 12 月 7 日突袭珍珠港的行为表示道歉，而是说："我们决不能让战争的惨剧重演……即使对曾经的敌人也要表示尊重。"

奥巴马对广岛的访问和安倍晋三对珍珠港的访问进一步巩固了日美关系，令许多日本人和美国人欢欣鼓舞。但亚洲的人民呢？

奥巴马总统访问广岛受到日本人的欢迎，但其他受害的亚洲国家又有什么样的反应呢？对多数日本人来说，和平运动从"不再有下一个广岛"和"不再有下一个长崎"开始，这似乎理所当然。然而，回顾日本侵略亚洲其他国家（和地区）的历史，尤其是中国和朝鲜半岛，诸如"不再有下一个南京"的声音却无处可寻。

——一位日本记者（2016年5月）

因此，呼吁日本首相访问南京的声音也逐渐出现。对于安倍的访问计划，日本政治评论家本泽二郎直截了当地指出："比起珍珠港，安倍最应该去的是中国。"就像广岛之行和珍珠港之行一样，尽管没有直接道歉，但领导人的到访本身就具有与痛苦的战时历史和解的象征意义。

不幸的是，臭名昭著的日本历史教科书事件、日本领导人持续参拜靖国神社以及对南京大屠杀和"慰安妇"问题的频繁否认，不时地荼毒着地区关系。回顾起源于广岛的和平运动的发展，日本与其邻国之间的和解鲜少在其中占有一席之地。考虑到广岛作为一个曾经被原子弹炸毁的城市的特殊现状，广岛将重点放在反核武器问题上是可以理解的。但在原子弹爆炸的那一天之前，这座城市一直是一个重要的军事之都，并在日本的对外侵略战争和对其他亚洲国家与地区的殖民统治中发挥了重要作用。日本的广岛和长崎遭遇原子弹轰炸、其他城市遭遇常规空袭，这些都是日本帝国主义侵略行径造成的恶果。

为掩盖对亚洲的历史侵略行径,日本在强调广岛和长崎的原子弹轰炸是其国难的同时,还赋予自己"唯一的原子弹爆炸受害国"的形象。日本研究中国历史的学者、反核活动家今堀诚二曾批评说:

在日本,历任首相和日本共产党都不断声称我们是"唯一的原子弹爆炸受害国"。我认为日本人执着于本国是唯一原爆受害国的事实,似乎遗忘了内华达试验场的美国士兵以及太平洋比基尼岛和埃尼威托克岛上的原住民。为什么广岛、长崎的人民会成为"受害者"?日本人对此不需承担任何责任吗?难道是因为突遇天灾,广岛人民才饱受折磨的吗?

20世纪80年代以来,"唯一的原子弹爆炸受害国"这一说法不仅经常出现在每年广岛市长发表的"和平宣言"中,还广泛出现在媒体上和其他官方与非官方场合。从表面看,这一说法强化了日本呼吁核裁军的责任,但正如今堀诚二所言,它也掩盖了广岛在战时的军都地位和日本在战时的侵略罪责。此外,它还掩盖了许多非日本的原子弹受害者的存在,其中有许多是朝鲜籍强迫劳工,还有一些则来自中国和其他国家。

对于日本民众来说,"唯一的原子弹爆炸受害国"的认知已经形成了其关于战争集体记忆的一个重要组成部分,"反核"是战后日本和平运动的主流。从人道主义的角度,日本的逻辑似乎并无不妥,但是由此形成的战后日本战争文学和艺术,固化了日本一般民众的历史记忆和思维模式,即"战争是从外部被强加的,日本人是悲惨的受害者"。因此,日本人从反核运动出发的和平运动的合理性也遭到质疑和批评。东京大学教授大沼保昭指出,日本人从战争受害出发的关于和平的思考,仅局限在日本"本国内部的狭隘的视野"中,不可能了解同一历史过程对于战争被害国国民的体验。事实上,不让广岛和长崎的悲剧重复,"无核世界"只是其中的一个技术要素。对于日本来说,真正的要义在于正视历史责任、追随和平的理念,不再重新走上军国主义道路。

三

从消极和平到积极和平

我们从"消极和平"与"积极和平"两个概念的视角,来审视广岛的和平叙事。从理论上讲,"消极和平"指的是没有暴力和战争,或可以通过暴力手段实现仍有动荡的状态,它关注的是直接暴力的不在场,希望通过谈判和调解而不是武力手段来解决争端。因此,它更关注的是现在和短期内的安全问题。"积极和平"则不光指任何无(或减少的)暴力和战争的状态,其中还需拥有能够实现并维持和平进步与和平改革的一些"积极因素"。约翰·加尔通将"积极因素"解释为公平性与和平,其主要体现在国与国之间关系的恢复、服务于社会需求的制度的建立以及对结构性暴力的消除。换句话说,"积极和平"是通过和平手段来实现的和平。在和平学中,这两个概念有助于加深我们对于"和平"的理解:和平是一个动态的过程,不断通过采取行动来缓和与转化未来可能的冲突。

回顾广岛的情况，其主流的和平运动主要集中在核裁军（没有暴力即为和平），而对其周边军事基地的存在几乎保持沉默（和平可以通过暴力手段实现），因此可以将广岛的和平叙事归为"消极和平"。由于人们一直被困于自我和他者的二元对立中，总将他人视为对自己生存的威胁，这种加强自己的军事力量以确保其领土安全的做法将会持续存在。

然而，在当今全球化的世界里，我们应当尝试超越达尔文的"适者生存"理论，寻求创造性和革命性的想法，例如"合作者生存"，因为这很可能会使我们的地球变成一个更好、更健康的共存空间。对于国家之间的冲突，不应使用军事力量，而应用更和平的方式来开展建设性对话，从而消除反人性反自然的战争。这就是"积极和平"，这也是广岛构建和平城市时更应关注的发展视角。"积极和平"的概念虽已被纳入广岛的和平教育课程，但因日本的和平教育偏重知识传播，故其理论还未被付诸实践。

建立积极和平的"积极因素"之一是重建关系,正如许多学者强调的那样,和解是一个相当复杂的过程,需要真理、正义、和平与仁慈这些因素的综合。只有当我们觉醒,摆脱束缚,将所有人类视为一个共同体,不再分种族、宗教、国籍和社会地位时,这一切才可能实现。要恢复破裂的关系,所有相关各方,无论是从前的加害者还是受害者,都需要努力并作出改变。

就广岛而言,在强调受害经历前,其和平运动与和平教育中都应考虑到它自身作为加害者的责任。在这方面,与广岛同样经历了原子弹轰炸的长崎似乎走在了前列。例如,1995年成立的长崎冈正治纪念和平资料馆是讲述日本作为加害者的战时历史的教育基地,其中不光涉及日本对朝鲜半岛的殖民统治、对中国(南京大屠杀和731部队)和亚洲其他国家的侵略,还有对天皇制度和法西斯主义的谴责等(出于类似的理念,立命馆大学的京都世界和平博物馆也将重点放在日本的侵略历史上)。该馆是为纪念终身奉献于揭露日本战争罪行的冈正治先生,由民间自发筹集资金创办。2000年,该馆与侵华日军南京大屠杀遇难同胞纪念馆缔结了友好关系,通过纪念馆提供的大量图片资料,包括日军在长江边屠杀中国军民、焚尸灭迹等展示了日军对南京施行大屠杀的残忍行径。2002年,该馆还发起了一个名为"中日友好—希望之翼"的项目,鼓励日本学生来中国进行实地考察,以了解历史真相。

图 5-7 从左至右分别为资料馆馆长高实康稔博士、"和平之船"代表川崎哲和美国电影导演奥利弗·斯通,他们正在观看长崎冈正治纪念和平资料馆中的非日籍原爆幸存者(主要是韩国籍和中国籍)展览,2013 年 8 月 10 日

最近,广岛也为恢复中日之间的友好交往做出了类似的努力。由亚太基督教青年会联盟(APAY)和日本广岛、中国南京、韩国大邱的基督教青年会(YMCAs)联合举办的第六届青年会和平论坛于 2015 年在南京举办。来自这三个国家的基督教青年会工作人员、志愿者和会员通过分享各自积极与消极的历史,互相学习,建立良好的信任关系。东北亚和平教育学院(NARPI)是一家总部位于韩国的机构,不光常年致力于促进该地区的和平,还在广岛和南京等地每年开展类似的项目。许多广岛的民间组织也倡导要将日本侵略历史加入现在的和平叙事中,如有些教师正在积极展开自创的和平教育内容,其中就包括日本的加害者历史。

然而，今天很少有日本人去追问广岛被投掷原子弹的原因，也鲜有人在意这一历史因果链条上明显缺失的一环。2015年，德国总理默克尔在东京的"朝日新闻基金会"演讲时曾指出："正视历史是和解的前提。"德国在二战后也走过一段弯路，但在20世纪六七十年代确立了对战争责任的正确态度，从而为德国成为国际社会的"正常"国家铺平了道路。鸠山由纪夫在其撰写的《摆脱"大日本主义"》一书中强调，只有正视历史且尽早摆脱历史问题的困扰，日本才能够获得周边国家的尊重，才能获得更为广阔的发展空间。一个离真实历史越来越远的日本也将难以取信于亚洲邻国和国际社会。和解与和平是以正确的历史认知为前提的，只有抱有正确的历史认知，才能实现真正的和解与和平。

如果广岛能够像它在领导废除核武器方面那样更加积极主动地深刻反思日本的侵略行径，并借此机会与其亚洲邻国（如中国）建立起信任与和解的对话机制，这不仅将对日本有利，也将有利于整个东亚地区的和平与稳定。具体来说，广岛可与南京建立一座和平之桥，通过分享两座城市曾经历且永不想再经历的战争创伤来互相治愈，建立起一种信任关系。令人欣慰的是，南京大学联合国教科文组织和平学教席主持人刘成教授与广岛大学和平中心主任川野德幸教授，正在两座城市之间建立起友好的联系，这是一个良好的开端。

此外，学术界也在倡议恢复两国的民间关系，如"中日和平对话会"等，这项建议最早在2015年初由时任日本和平学会项目委员会主席的君岛东彦教授向南京大学的刘成教授提出。在察哈尔学会的支持下，刘成教授2015年5月应邀去东京参加会议发表演讲时，与君岛教授及其他几位日本和平学会成员会面，开展学术讨论。双方都表明了与志同道合的学者建立友好关系的真诚愿望，并迅速达成共识，同年10月在北京举办了第一次中日和平对话会。这场由察哈尔学会和日本和平学会联合举办的对话会着重讨论了中日关系的过去、现在和未来。通过深入的对话和探讨，中日两国学者在相互尊重和信任的基础上建立了深厚的友谊。

2017年在南京举行的第二次中日和平对话会不仅得到了察哈尔学会和日本和平学会的支持，也得到了南京大屠杀史与国际和平研究院（现为国家记忆与国际和平研究院）、南京大学和平研究所的支持。来自中日两国的学者与挪威学者约翰·加尔通共同探讨了中日和平学发展的合作问题。南京曾在日本侵略者的屠杀暴行中遭受重大创伤，是战争的受害者，但南京正在致力于"国际和平城市"的建设，积极向国际社会传播中国的和平理念。第三次中日和平对话会于2019年在立命馆大学大阪茨城校区举行。这一次的重点是继续探索中日和平学合作的可能性，同时探讨地区内有关和平与冲突的一系列问题。

此后，由于新冠肺炎疫情的全球性暴发，最近的两次中日和平对话会由日本和平学会国际关系委员会和南京大学教科文组织和平学教席举办，分别于 2020 年和 2021 年在线上举行。与以往的对话会不同的是，这两次对话会的参加者不仅有和平学学者和教育工作者，还有两国的青年大学生，分享有关中日两国和平与冲突问题的看法。中日青年交流活动源远流长，而青年的参与和引领也给和平运动带来了希望。

当前，世界之变、时代之变、历史之变正以前所未有的方式展开，人类社会面临前所未有的挑战，虽然疫情意外地改变了整个世界，但和平不能等待。这五次中日和平对话会有助于加强中日两国在和平学领域的研究与合作，共同促进中日关系的稳定与改善，为维护东亚繁荣与稳定，以及世界的和平与繁荣作出了重要贡献。

当前国际格局加速演变，中日关系又走到了关键十字路口，要推动中日关系重回正轨，应该找到两国发展的共同点，从务实合作入手，从涓滴小事做起。历史反复证明，和平友好、合作共赢是中日关系唯一的正确选择，正视历史是东亚和解的必经之路。而宽恕需要基于历史真相的还原，需要加害方与受害方共同面对历史，这样才能对抗狭隘的民族主义以及旧的冷战思维下零和博弈的情绪，唯其如此，中日关系才能柳暗花明，共同创造出充满希望的未来。

结 语

回顾广岛跌宕起伏的历史,不免使人内心充斥着各种复杂的情绪。当广岛只是一座依水之城时,这里的和平与宁静使当地居民与大自然和谐共生。后来,城市化和工业化也为广岛增添了不少生机与希望。但明治时期,"脱亚入欧"的思想推动了日本基于亚洲的海外扩张与侵略活动,也将广岛卷入了日本帝国的战争机器之中。

明治初期,广岛市在日本的地位变得至关重要,因为它是为数不多的重要军事城市之一,军事设施迅速扩建,军队被源源不断地由此往外派遣。随着日本对外侵略战争愈演愈烈,提供军事补给成为这座城市的首要任务,平民牺牲了原有的生活以及其他经济来源以支持战争。1945年8月6日,侵略战争的恶果从天而降——美国向这座城市投下了一颗原子弹。广岛瞬间化为焦土,每一个角落都充斥着恐惧与痛苦。

原子弹爆炸后不久,树木和鲜花重新萌芽,给这座废墟之城带来了无限活力,也重燃了城市的希望。在世界各地民间团体的努力下,广岛不仅在废墟中重生,还将自己重塑为一座"国际和平城市"。广岛在战略上利用自身原爆受害者的身份,呼吁消除核武器,获得了国际上的广泛认同。然而,在广岛的和平叙事中,这种"重新开始"的理念却是建立在对日本作为加害者的战时历史的刻意遗忘之上。因此,在这一过程中,日本与亚洲先前的受害国之间深深的隔阂仍然存在,并未得到和解。

"和解的过程是永无止境的。和解并不取决于忘却,而是取决于另一方的态度"——德国与波兰和解的这一精髓,值得广岛及其他经受战争重创的城市学习。和解实则是一种治愈,而包括广岛在内的许多城市都希望得到这样的治愈。

漫步在今日的广岛街头,这座城市繁华而又充满活力,街边高耸的写字楼与公寓楼、无处不在的便利店和连锁咖啡店,使它与其他日本城市似乎并无二致。即使是白天庄严肃穆的广岛和平纪念公园,到了晚上也被闪烁的霓虹灯环绕,人们在此享受着愉快的夜生活。过去的阴霾似已远去,但埋下的隐忧却风雨欲来。只有正视过去,立足现在,完成和解,才能更坦然地迈向未来。

主要参考文献

1. Alperovitz, G., The Decision to Use the Atomic Bomb, Vintage Books, 1996.

2. Buruma, I., Wages of Guilt: Memories of War in Germany and Japan, Farrar Straus & Giroux, 1994.

3. Cho, H., Hiroshima Peace Memorial Park and the Making of Japanese Postwar Architecture, Journal of Architectural Education, 66(1), 2012, pp.72-83.

4. Cook, H. T. & T. F. Cook, Japan at War: An Oral History, The New Press, 1992.

5. Dower, J. W., Embracing Defeat: Japan in the Aftermath of World War II, Penguin Group (CA), 2000.

6. Galtung, J., Peace by Peaceful Means: Peace and Conflict, Development and Civilization, SAGE, 1996.

7. Hiroshima and Nagasaki: The Physical, Medical, and Social Effects of the Atomic Bombings, The Committee for the Compilation of Materials on Damage Caused by the Atomic Bombs in Hiroshima and Nagasaki, ed., Iwanami Shoten, 1981.

8. Hiroshima Reconstruction and Peacebuilding Research Project, Learning from Hiroshima's Reconstruction Experience: Reborn from the Ashes, Hiroshima Prefecture and the City of Hiroshima, 2014. https://hiroshimaforpeace.com/en/wp-content/uploads/sites/2/2019/09/189227.pdf

9. Kingston, J., Renewing and Reframing Hiroshima, The Aisa-Pacific Journal: Japan Focus, 17(15), 2019.

10. Kosakai, Y. & A. R. Ramseyer, Hiroshima Peace Reader (A. Tashiro, M. Tashiro & R. R. Ramseyer, Trans.), Hiroshima Peace Culture Foundation, 2017.

11. Orr, J. J., The Victim as Hero: Ideologies of Peace and National Identity in Postwar Japan, University of Hawaii Press, 2001.

12. Scott, B. & M. Kasai, Two Pilgrims Meet: In Search of Reconciliation between China and Japan, New Generation Publishing, 2016.

13. Tanaka, Y., Photographer Fukushima Kikujiro —— Confronting Images of Atomic

Bomb Survivors (写真家福島菊次郎——被曝者の映像に直面する), The Aisa-Pacific Journal: Japan Focus, 9(43), 2011.

14. The Spirit of Hiroshima: An Introduction to the Atomic Bomb Tragedy (ヒロシマ を世界に), Hiroshima Peace Memorial Museum, 2019.

15. Treat, J. W., Writing Ground Zero: Japanese Literature and the Atomic Bomb, University of Chicago Press, 1996.

16. Vogel, E. F., China and Japan: Facing history, Harvard University Press, 2019.

17. Webel, C. & J. Galtung, Handbook of Peace and Conflict Studies, Routledge, 2007.

18. Zwigenberg, R., Hiroshima: The Origins of Global Memory Culture, Cambridge University Press, 2014.

19. 福島菊次郎『写らなかった戦後 ヒロシマの嘘』、現代人文社、2003 年。

20. 広島原爆医療史編集委員会『広島原爆医療史』、広島原爆障害対策協議会、1961 年。

21. 広島市『広島新史：歴史編』、1984 年。

22. 広島市・長崎市原爆災害誌編委員会『広島・長崎の原爆災害』、岩波書店、1979 年。

23. 現代思想 8 月号『＜広島＞の思想——いくつもの戦後史』、青土社、2016 年。

24. 権赫泰『平和なき「平和主義」：戦後日本の思想と運動 (鄭栄桓訳)』、法政大学出版局、2016 年。

25. 中沢啓治『「ヒロシマ」の空白：中沢家始末記』、日本図書センター、1987 年。

26. 岡田黎子『絵で語る子どもたちの太平洋戦争——毒ガス島・ヒロシマ・少国民』、文芸社、2013 年。

27. 相馬一成『置いてきた毒ガス「母と子でみる」』、草の根出版会、1997 年。

28. 田中利幸・ピーターカズニック『原発とヒロシマ「原子力平和利用」の真相』、岩波書店、1997 年。

29. 步平:《跨越战后:日本的战争责任认识》,北京:社会科学文献出版社,2011年。

30. 冯玮:《日本通史》,上海:上海社会科学院出版社,2008年。

31. 刘成:《和平学》,南京:南京出版社,2006年。

32. 刘成、[德]埃贡·施皮格尔:《全球化世界的和平建设:图解和平学》,北京:人民出版社,2015年。

33. [英]巴兹尔·斯考特、[日]葛西实:《探寻中日和解之旅》,李琳莉、刘双双译,南京:南京师范大学出版社,2018年。

34. [英]大卫·巴迪:《日本帝国的终结》,徐莉娜、岳玉庆、曲芳丽译,青岛:青岛出版社,2013年。

后 记（一）

人类的历史既是一部战争史，也是一部武器发展史。从刀剑戈矛、枪林弹雨直至二战，战争的规模和残酷达到了顶点。特别是近现代以来，战争更对人类文明构成了严重威胁。联合国教科文组织宪章中写道："战争起源于人之思想，故务需于人之思想中筑起保卫和平之屏障。"战争更像是一面镜子，让人们更加认识到和平的珍贵。历史告诉我们，和平是人类共同的事业，需要各方共同争取和维护。只有人人都珍爱和平、维护和平，记取战争的惨痛教训，和平才有希望。

原子弹投下后，日本法西斯投降，二战随之结束。原子弹给广岛和长崎造成了近30万人的伤亡，而日军侵略铁蹄之下的亡魂远远超过这个数字，更不用说泯灭人性的南京大屠杀。广岛遭受原子弹轰炸的前因后果及其过程如何？广岛在战后一直倡导的和平建设到底怎样？带着这些疑问，我们开启了有关广岛和平建设的相关探讨。

2018年由我与日本广岛大学讲师杨小平博士共同开始广岛卷的撰写工作,后杨小平博士因故退出,由我完成第一稿。2019年9月,日本大阪女学院大学和平学博士生陆德婷加入撰写队伍,并在日本展开实地考察、资料收集等工作,用英文完成英文版,于2021年年中形成第二稿。2022年6月,丛书主编刘成教授、陆德婷和我就广岛卷展开充分研讨,在第二稿的基础上再次调整本卷框架和相关内容,并进行全面修改,在编辑们的大力帮助下,我们对中文卷进行校对与审阅,对图片的增减与使用加以确认,对专有名词进行核准,于2022年8月初形成终稿。

本卷首先描述了广岛从"依水之城"到"军事之都",从"灰烬之城"到"和平之城"的演变过程;其次,从和平学的视角,分析了广岛在和平城市构建中的经验和不足,以期为探求中日历史和解路径提供一定借鉴。

如今,战争的硝烟已经散去,而中日两国达成有历史共识的和解之路还任重而道远。长期以来,日本国民的战争记忆是以广岛、长崎的创伤为主的。日本将自己描绘成原子弹轰炸的"受害者",却很少提及遭到原子弹轰炸的历史背景,更鲜少提及日本二战期间对中国及亚洲其他国家带来的残酷伤害。广岛和平城市的建设缺少内在自身对于战争历史的深刻反思,也给自己未来的发展道路及与东亚邻国的和解留下了隐患。

广岛和南京同为二战中的"悲情城市",却又不尽相同:南京的悲情是由日本军国主义强加的,而广岛的悲情则是日本的加害行为所招致的。正如刘成教授所言,承认历史的真实性是求同存异的基础,宽恕构成了与历史、记忆、忘却的共同视域,只有确信过去的罪恶不会再来,相信事情正向正确的方向发展,人们才能从痛苦的记忆中解脱出来,并寄希望于未来。和解是一种互相信任的力量,中日两国需在尊重史实的基础上,携手治愈创伤。希望广岛与南京的悲情记忆可以成为一个"链接点",跨越国境,使和解的文化真正在中日两国之间生根发芽,这样才能真正推动中日关系走上富有建设性的轨道,将双边关系构筑在更广阔的基础之上。

最后,感谢刘成教授的悉心指导和我的朋友刘茹、卢萌的无私帮助,感谢前期杨小平博士对本卷的支持与帮助,感谢陆德婷博士严谨认真的实地考察与写作。南京师范大学出版社的编辑们为本卷的如期付梓付出了大量的辛勤劳动,在此向她们表示衷心感谢!感谢所有的和平爱好者!

王晓阳

后 记（二）

我对广岛的兴趣始于2019年的一个夏夜。这听起来可能难以置信，但正是南京促使我去深入了解广岛。当天，我们参观了侵华日军南京大屠杀遇难同胞纪念馆和南京利济巷慰安所旧址陈列馆。参观结束，我们心情无比沉重。回到酒店，身心疲惫的我和来自尼泊尔的朋友都瘫倒在了床上。片刻沉默之后，她说："我从来没有听说过南京大屠杀，它也没有出现在我们的历史课本中。但是，我们学了很多关于广岛和长崎原子弹爆炸的内容。"

世界上任何一个角落发生的巨大苦难，其创伤记忆都值得每一个人记住。只有当一个创伤城市的记忆融入人类的共同记忆时，我们对于具体的人类苦难的理解才可能超越其所属的政治文化范畴。南京曾经满目疮痍，一如原爆后的广岛。"但是，广岛是如何从灰烬中重生，并成功转变为一个世界闻名的和平城市？"这是当时浮现在我脑海中的疑惑，也正是本卷讨论的核心问题。怀揣着这一疑问，我于9月正式加入广岛卷的撰写队伍，随后开启了"广岛探索之旅"：从查找史料到实地考察，从参加研讨会到进行个别采访，通过结合传统和体验式学习的方式，我完成了本卷的写作。整个旅程，对我来说是一次深入解放的蜕变。其间，我越来越意识到，长期以来战争一直是持续破坏人与人、人与自然关系的主要因素之一。

在今天的东北亚地区，因为没有战争，我们中的大多数得以享有相对和平的生活空间。然而，很多被黑暗的过往所破坏的关系仍未得到全面修复，它们孕育着新的冲突，并持续影响着区域稳定。想要使心连心的关系修复成为可能，我们应当互相承认彼此所背负的历史创伤。就中日关系而言，在南京和广岛之间架起友谊桥梁，可以成为双方培养相互理解和相互信任的一个开端。这既有挑战性，也富创造性。

事实上，创伤愈合和关系修复均是漫无止境的过程。但唯有当创伤愈合了，关系修复了，我们才能从根源上打破暴力循环，和谐共处。同时，我们也不能忘记，我们共同享有许多正面的历史。它们深深扎根于我们的日常生活、思维习惯与和谐发展中。它们也是将我们团结在人类大家庭，并推动构建人类命运共同体的动力之源。

我无法对所有帮助本书出版的和平爱好者们逐一致谢，但我想我应当提及一些在本书诞生过程中起到重要作用的师友和家人。我要特别感谢刘成老师，感谢他的信任与指导，并邀请我撰写本卷。我还必须感谢山根和代老师，她是第一位认真、仔细地阅读了整个手稿，并提出了建设性意见的人。我还要感谢我的导师奥本京子老师，感谢她一直以来的关爱与耐心、理解与支持。

我也要感谢王晓阳，她在前期为本卷的出版作出了巨大贡献，并在此英文版及其材料的基础上完成了本卷的中文版；我还要感谢负责本卷的主要编辑们，向磊、王雅琼、郑海燕，她们的精心审阅和校对，使本卷条理清晰，通俗易懂，便于读者阅读。

最后，我还要衷心感谢我的家人，特别是我的父母和姐姐，感谢他们无条件的爱以及为我作出的所有牺牲；还有我亲爱的朋友，苏斯米塔·巴斯托拉（Susmita Bastola）、克里斯蒂娜·卡布雷哈斯·阿托拉（Cristina Cabrejas Artola）、罗克（Nikolas Krause）、姜秀妍、乘松聪子、服部淳子、达昕（Marcin Damek）、笠井绫、汤浅正惠、埃贡·施皮格尔（Egon Spiegel）、黄牧宇、周昀骜等等，感谢他们的爱与陪伴。

由于种种因素的局限，这一册薄薄的书卷无法涵盖关于广岛及其和平倡议的所有详情，但希望读者能从中发现一些有意义的东西。感谢。

祈愿世界成为一个充满爱的大家庭！

陆德婷

本书图片来源信息详见